正史里的广西

韩周敬——著

正史里的广西

先秦秦汉魏晋南北朝卷

广西人民出版社

图书在版编目（CIP）数据

正史里的广西．先秦秦汉魏晋南北朝卷 / 韩周敬著．-- 南宁：广西人民出版社，2025. 4. -- ISBN 978-7-219-11895-5

Ⅰ．K296. 7

中国国家版本馆 CIP 数据核字第 2024WW0311 号

ZHENGSHI LI DE GUANGXI · XIANQIN QIN-HAN WEI-JIN NAN-BEI CHAO JUAN

正史里的广西 · 先秦秦汉魏晋南北朝卷

韩周敬　著

总 策 划　赵彦红　萨宣敏

执行策划　李亚伟

责任编辑　徐蓉晖

责任校对　韦振泽

封面设计　王程媛　牛广华

版式设计　李彦媛

出版发行　广西人民出版社

社　　址　广西南宁市桂春路 6 号

邮　　编　530021

印　　刷　广西民族印刷包装集团有限公司

开　　本　889mm × 1240mm　1 / 32

印　　张　7. 25

字　　数　151 千字

版　　次　2025 年 4 月　第 1 版

印　　次　2025 年 4 月　第 1 次印刷

书　　号　ISBN 978-7-219-11895-5

定　　价　35. 00 元

《正史里的广西》编委会

编委会主任 张　帆

顾　　　问 王柏中　郝国强

撰　　　稿 韩周敬　滕兰花

龙小峰　邓　平

总序

为深入学习贯彻习近平文化思想，认真落实全国宣传思想文化工作会议精神，贯彻落实习近平总书记在文化传承发展座谈会上的重要讲话精神以及习近平总书记关于广西工作论述的重要要求，在广西壮族自治区党委宣传部组织策划下，广西人民出版社推出了五卷本《正史里的广西》。

盛世修史是中华民族流传几千年的传统，在这一传统中，我们的文化得以传承有序，我们的文明得以连绵不绝，我们的民族精神得以生生不息。以“二十四史”为核心的正史是展现中华民族起源和发展的核心典籍，在中华文明史上有着极其重要的地位。

所谓正史，指的是自西汉司马迁撰《史记》到清朝张廷玉等撰《明史》，首尾相连，记述历代王朝兴衰的二十四部纪传体史书。在汗牛充栋的中国古代史书中，正史具有核心地位。《四库全书》史部文献分十五类，以“正史类”居首，定义为“正史体尊，义与经配”，就是说正史的权威性可以与儒家经书相匹配。正史的概念始于唐初，涵盖范围随着历史发展陆续增加，到清朝中叶经乾隆皇帝“钦定”，确立为二十四部，亦称“二十四史”。1921年，北洋政府宣布将清末民初柯劭忞所撰《新元史》列入正史范围。另外，民国前期赵尔巽等撰的《清史稿》虽未通过南京国民政府审查，但由于编纂体例和定位相近，当代研究者习惯上也将它作为“准正史”看待。因此，又出现了“二十五史”“二十六史”这样的概念。

广西历史源远流长，无论是史前社会还是先秦时期，抑或是秦汉以后，都有着厚重且引以为傲的历史文化。“二十四史”等正史，便存有众多关于广西历史文化的重要资料。梳理这些传世典籍中有关广西的内容，从某种意义上讲，不仅是直接延续了广西地方文脉，更是间接守护了中华民族的文化血脉。同时，中国地方志源远流长，历代修志绵延不绝，成为中华民族特有的优秀文化传统。正所谓“国有史，地有志”，广西地方志进一步丰富了广西历史文化内容。

回顾历史，早在20世纪80年代，在已故著名学者莫乃群（1911—1990年）先生主持下，广西壮族自治区通志馆就编纂了约一百五十万字的《二十四史广西资料辑录》（广西人民出版社1989年出版），为学者研究古代广西历史提供了很大方便。我们这套《正史里的广西》，就是在上述资料辑录的基础上撰写而成的。关于撰写情况，简单说明如下：

第一，《二十四史广西资料辑录》从“二十四史”中抄录的与广西有关的资料十分完备，但仅是遵照正史原书篇章次序排列资料，并未根据资料性质分类归纳，也没有对资料进行注释或翻译。因此它主要是为学术研究服务的，不便普通读者阅读。《正史里的广西》则对“二十四史”所载相关内容突出重点，提炼专题，结合“二十四史”以外的史料，参考学术界研究成果，补充背景和细节，从而系统地向广大读者介绍与广西有关的历史文化知识。

第二，“二十四史”终结于《明史》，因此《二十四史广西资料辑录》缺乏清代内容。当时，广西壮族自治区通志馆另外编纂了《〈清实录〉广西资料辑录》(与广西壮族自治区图书馆合编，广西人民出版社1988年出版)，篇幅更为庞大，共六册，近两百万字。《正史里的广西》清代内容以与“二十四史”体例、性质基本相同的《清史稿》为准，保证全书编纂原则一致，涵盖中国古代全部王朝，前后规模大体相当，更加方便读者阅读。

第三，“二十四史”中关于广西的资料虽然相当丰富，但受限于“正史”性质和取材的影响，内容以政治、军事为主，经济和文化方面的记载比较单薄，且有遗漏。鉴于这种情况，有个别篇章在选题和内容上都超出了“正史”范围，或者说为“正史”所未载，而选取了地方志或者碑刻等文献资料。我们觉得，尽管《正史里的广西》以“正史里的广西”为题，但在某些问题上对“正史”记载有所拓展，也是合理或可以接受的。

第四，结合新时代的需求，《正史里的广西》的撰写思路遵循三项原则：首先，从铸牢中华民族共同体意识、传承中华优秀传统文化、推动中外文明交流互鉴的角度来选择书写对象；其次，挖掘历史人物、事件与广西的关联，致力于讲述中华文明发展中的广西故事；最后，点线结合，既注重对人物、事件的书写，也注重对广西历史脉络的构建。

《正史里的广西》按照时间顺序分为五册，分别由四位作者撰写。尽管各位作者的写作风格不尽相同，但都力图做到学术性与通俗性的统一，以求勾勒出广西文明史的演变脉络，呈现出立体、多元、富于动态的广西历史图景。

作为中华文明版图中的“南疆锁钥”，广西的特殊坐标既体现在地理区位的门户作用，更彰显于边疆民族地区维护国家统一、推动文化共生的历史实践。这种跨越时空的忠诚守护与文明交融，正是铸就中华民族生生不息坚实根基的核心力量。相信通过这套《正史里的广西》，读者可以更全面、深入地理解广西，从中国乃至世界文明的视域去审视广西，感知广西人民在漫长时代里披荆斩棘、一路走来的艰难辉煌历程，对广西各民族交往交流交融的历史和广西在维护民族团结、边疆安宁的贡献有更深刻的体认。

张　帆

（中国史学会副会长，北京大学历史学系原主任，统编高中历史教材《中外历史纲要（上）》主编）

目录

干栏、铜鼓、岩画：广西先民的生活图景

且南方卑湿……其东闽越千人众号称王，其西瓯骆裸国亦称王。

——司马迁《史记》卷一百一十三《南越列传第五十三》

依树积木，以居其上，名曰“干兰”，干兰大小，随其家口之数。

——魏收《魏书》卷一百一《僚传》

援好骑，善别名马，于交趾得骆越铜鼓，乃铸为马式，还上之。

——范晔《后汉书》卷二十四《马援传》

骆越民族是广西的本土族群。他们创造了灿烂的物质文化，以干栏建筑来适应一方风土，以骆越铜鼓来体现重器之威，以花山岩画来展示朴拙之美。

干栏建筑，风土之宜

“干栏”一词，来源于壮语，直译是“上面的房子”，顾名思义，即建在木构栈台上的房子。它的前身应是巢居，张华《博物志》言：“南越巢居，北朔穴居，避寒暑也。”巢居是“第一次在强大的有害的自然力与其自身之间筑起最初的一道屏障；第一次从异己的、神秘莫测的自然空间中划出一个人为的空间，属于人的空间，确立人在自然界的一种空间秩序，以满足居住生活的需要以及由此而带来心理上的安全感”。巢居具有防兽避潮和造价低廉的优点，但它在构筑时必须依树展开，建造限制较多，可用空间较小，这就与先民日益发展的居住需求构成了矛盾。干栏式建筑是以巢居精神为核心，将巢居形式进行挪移和创新的产物，《魏书·僚传》言：“依树积木，以居其上，名曰‘干兰’。”它埋柱架楹，上层住人，下层养畜，已具有空间分割特点。

干栏式建筑的营造过程如下：先在平地上挖出4—6个直径约20厘米、深约40厘米的小坑，坑底用石块支垫，以防止立柱因承载屋体的重量而下沉，然后把经过修整、直径约15厘米、长约3米的木料插立于土坑内，形成干栏的木柱，再用石片夹杂泥土填实。在木柱上端和中端，往往保留有树干的枝杈口，可以把横木直接架在杈口内，作为干栏的横梁。然后在横梁上架设纵向的竹木条，编竹苫茅以盖顶和围挡四周，再用木条并列铺楼层，屋顶为单或双斜坡，一座简约的木结构干栏式建筑至此建成。

干栏式建筑成型之后，一直为广西先民沿用。在广西钦州独料遗址、南宁顶蛳山遗址中，都发现了柱洞遗迹，直径为12—15厘米。有的柱洞底部有红烧土残留，这应有加固地基的作用。广西合浦风门岭、望牛岭、黄泥岗等地出土的汉墓明器中就有不少干栏式陶屋。这些陶屋形式规整，结构科学，运用瓦片覆顶，四面墙体结合紧密，显示出较高的营造工艺水平，体现出重理容

广西合浦汉代文化博物馆馆藏东汉朱彩曲尺带圈陶屋

情、人地互生的建筑观念。直至近现代，广西仍普遍可见形态原始的干栏式建筑。有的地方则在干栏式建筑的基础上，吸取中原地区的营造理念与技艺，从而使其建筑内蕴着各民族交往交流交融的痕迹，最具代表性的是广西西林县岑氏古建筑群。

岑氏古建筑群位于广西西林县那劳镇那劳村，由岑密始建于明代弘治年间（1488—1505年），岑毓英、岑春煊等人接力增建而成。岑氏古建筑群包括五类建筑：一为礼祀类，如岑氏宗祠、将军庙；二为祈愿类，如增寿亭；三为教化类，如南阳书院；四为居所类，如宫保府、荣禄第；五为表彰类，如孝子孝女坊。五类建筑依山傍水、坐西朝东分布，呈现出明显的高低错落和中心—边缘结构。其中的思子楼是一栋规整稳重、简阔敞明的三层建筑，一楼留存了部分干栏式建筑样式，但其结构并非传统的木质柱架式，而是砖木并用的童柱承搁式，这应是吸收和改造汉式斗拱建筑的结果。二楼和三楼则是砖木结构的硬山搁檩式建筑，同样体现出汉族建筑文化的浸润。尽管思子楼是两种建筑风格的混合，却毫无突兀之感，反而呈现出简素平衡之美。

骆越铜鼓，重器之威

铜鼓是骆越民族的重器，《广州记》载：“俚僚之人崇尚铜鼓，鼓体越大则越贵重。铜鼓鼓面阔丈余，铸成之日，悬挂于庭院之中，至清晨准备酒宴，招引同族之人前来庆贺，来者盈门。”我国将发现的铜鼓分为万家坝、石寨山、冷水冲、遵义、麻江、北流、灵山、西盟8种类型，这8种类型的铜鼓在广西都有发现。自战国时期，广西先民就开始铸造和使用铜鼓，至汉晋时期，铜鼓的铸造工艺已十分成熟，鼓体形状多样，鼓身比例合理，鼓面图案丰富，是科技与艺术的完美结合。以1955年出土的北流铜鼓王为例，其年代系属西汉，鼓身高67.5厘米，鼓面直径165厘米，重达300公斤，体型之巨，为世界之最，反映了当时高超的铸造技艺。从艺术上来看，鼓面中心装饰有八芒太阳纹，鼓面和鼓身三弦分晕，晕圈中又密布着云雷纹，内蕴着骆越民族的美学认知。

广西民族博物馆馆藏北流云雷纹大铜鼓

除了科技和美学属性之外，铜鼓至少具有四重社会属性。

第一，象征权力的重器。马援平定交趾地区的征侧、征贰叛乱后，之所以将铜鼓熔铸为马式，应与毁灭南越人权力象征的意图有关。《魏书·僚传》记载：“僚人往往推一年长者为王，各部族之间不能互相统摄。与中原地区之贵族一样，实行父死子继制度。每个僚王都有铜鼓、角一双，令其子弟敲打吹奏。”

第二，展示礼仪的乐器。在重要聚会中，人们会敲击铜鼓，西汉诅盟场面青铜贮贝器上，就铸有敲击铜鼓的人物造型。在丧葬仪式中，也可能会敲击铜鼓，以表达庄重肃穆之意。时至今日，广西的壮族、瑶族等民族，依然保留了击铜鼓送丧的民俗。

第三，沟通神明的法器。在花山岩画所描绘的祭祀场面中，铜鼓的身影多次出现。西林县普驮出土了由4个铜鼓套合而成的葬具，用来盛放人骨和陪葬品，这可能与当时人们认为的铜鼓的通灵功能有关。铜鼓上有不少崇拜符号如太阳、蛙、犬、鸟等，它们与铜鼓共同组成了沟通神明的法器。

第四，号令部众的军器。红河流域出土的玉缕1号铜鼓，描绘了羽人划船的战斗场面，后方的船舱中即置有铜鼓。《隋书·地理志》中提到，岭南部族易互相攻杀，彼此之间多构仇怨。想要互相攻杀时就敲打铜鼓，前来应援者如云。有鼓之人被尊称为“都老”，为大家所信服。据调查，近代桂滇地区的部分民族，“集议军警、公益一切事件，亦以撞击铜鼓为唯一号召之方”。

骆越铜鼓除了体现广西先民的地方智慧之外，还吸收了中原铜器的优秀元素。击鼓娱神以求风调雨顺，本是中原习俗，传入岭南之后，这项习俗被骆越民族吸收和化用。不少精美的铜鼓是用失蜡法铸造而成，当这项技术南传之后，骆越人将它与本土的审美结合，使得铜鼓的造型更加规整、稳重，风格更加杂糅、特别，纹饰更加繁复、精致。骆越铜鼓在铸造过程中，还吸收了不少中原装饰元素，最突出的是太阳纹。人们经常可以看到铜鼓中心有太阳芒纹，芒纹外饰圆形晕圈，这是对中原青铜器上的太阳纹进行借鉴的结果。铜鼓上的太阳纹不只有装饰功能，还可以优化音质，增强鼓音的浑厚度。其他的铜鼓纹饰，如云雷纹、方格纹、弦纹、乳钉纹、重环纹、锯齿纹、回形纹、四出钱纹、龟纹、叶纹等，都是对中原铜器纹饰的借鉴。铜鼓内化了民族交流活动的影响，成为体现民族融合精神的重要载体。

在岭南历史的坐标体系中，铜鼓具有重要的地位。岭南已经发掘了大量的本地铸造的铜鼎，其年代早于汉代，这表明早在铜鼓文化兴起之前，岭南就存在以礼器数量、等级来标示身份的文化系统。铜鼓所具有的礼乐功能可能是铜鼎功能的延续。铜鼓文明是中华文化的一个子集，是岭南地区融入中华民族共同体的一种象征，时至今日，我们并不将铜鼓视为消失的文明符号，而是在对历史的因时阐释中，给予它日新又新的解释。

对岭南铜鼓的研究，深化了我们对广西历史的理解。目前所见的大量铸于南朝的铜鼓，就是岭南俚僚大族自治能力的象征，也体现了南朝中央对超越直接控制的区域，实行以羁縻为主的控制方式。有学者认为，铜鼓的地理分布及出土数量，反映了俚僚社会的诸多面向，如俚僚人群的分布，俚僚社会的复杂结构以及俚僚人群与南朝之间的互动等。俚僚酋帅的实际控制区域，可结合铜鼓零星出土的郡县与大规模出土的郡县来推定。铜鼓发现数量的多少，显示了俚僚占有财富的多寡以及俚僚内部社会结构的复杂程度。这种看法为推进岭南民族研究的细致化提供了启示。

花山岩画，朴拙之美

左江花山岩画文化景观包含3个部分，沿明江、左江上下游分布，总长约105公里。其中以宁明县明江东岸的花山岩画画面最为宽大，图像最多。在临江一面宽200多米、高约40米的灰黄色崖壁上，密集布满各种赭红色图像，目前尚可辨认的有1900多个。凡左江流域其他处发现的图像，在宁明花山都能看到，许多图像为花山所独有。左江花山岩画图像主要有人物、器物、动物等。据统计，在4000多个图像中，人物图像数量为3300多个，约占岩画图像总数的82%；器物图像619个，动物图像114个。左江花山岩画文化景观符合《实施〈世界遗产公约〉操作指南》中“突出的普遍价值的评估标准”的第一条“作为人类天才的创造力的杰作”，第三条“能为延续至今或业已消逝的文明或文化传统提供独特的或至少是特殊的见证”，第六条“与具有突出的普遍意义的事件、活传统、观点、信仰、艺术或文学作品有直接或有形的联系”。所以，它能在2016年7月15日被批准列入《世界遗产名录》。

花山岩画的绘制者应是骆越人，与其称他们为“画家”，不如称他们为“匠人”。岩画主要意在表现战国至秦汉时期的骆越人举行的盛大祭祀活动，如人物造型多呈举臂蹲足状，这被解读为模仿青蛙姿态，以达到娱神媚灵的目的。其中也可能寓有对日常生活的观照，如对人物头型、头饰的精确描摹，对人、动物、器物摆放关系的还原等。

根据专家的分析，左江花山岩画按照绘画艺术构图的规律与法则，遵循均衡与对称原则、对比原则、视点原则、画面均衡原则、黄金分割原则、和谐统一原则等进行绘画创作。均衡与对称原则，是绘画艺术构图的基础。作画者根据题材和主题思想，把要表现的形象适当地组织起来，构成一幅幅均衡协调的完整画面，给人以庄严、肃穆、和谐的美感。构图之美在于整体结构的完整性，2000多年前骆越人绘制的左江花山岩画，合理运用了均衡对称、色块与线条搭配、大小对比、点与面兼顾、平涂与勾勒相结合等手法，绘出了一幅幅千古不朽的绘画艺术巨作，充分展示了骆越人的绘画艺术成就。

与铜鼓类似，花山岩画也是各民族交往交流交融的生动例证。岩画所表现的祭祀场景中，有铜鼓、铜钟的图像，如

广西崇左花山岩画

宁明高山岩画上，有4件羊角钮钟悬挂在一个“士”字形支架上的图像。这种钟鼓齐鸣的景象，是受到中原礼乐影响的结果。通过岭南岭北礼乐文化的交融，骆越人的音乐艺术水平得以提升，艺术内涵得以深扩。岩画中许多处于中心的高大正身人物，腰间通常悬挂长剑或环首刀，他们应是骆越族群的首领或祭司。佩剑制度是中原舆服制度的一个构成部分，先秦时的骆越与中原交流不多，自然难有佩剑之俗。秦朝统一岭南，为南北交流铺设了充足的空间，南越国的“和集百越”政策，又均衡了汉族、百越族群力量，佩剑制度可能在岭南骆越人之间传播开来。岩画中的佩剑人形正是这种制度的反映。至于佩带环首刀，不过是器物变更而已，其中蕴含的佩剑文化精神没有变化。因此，花山岩画是骆越族群融入中华民族的缩微画卷，它生动地展现了中华民族多元一体格局形成的南方进程。

广西崇左花山岩画中的羊角钮钟

骆越族群的干栏式建筑，充分体现了广西先民对风土特性的领悟；铜鼓重器则内含多重社会功能，是广西先民形成内聚性特征的重要物证；花山岩画是广西先民神圣与世俗生活的写照，也是后世理解骆越社会的图像材料支撑。它们都具有鲜明的各民族交往交流交融特点。骆越族群创造的物质文化，除了以上所列三项外，还有陶器、瓷器、铁器、玉器、银器、滑石器等器物，它们共同构成了骆越历史的宝贵遗产，见证了广西历史的发展。

句町：早期的神秘方国

明年，复遣军正王平与大鸿胪田广明等并进，大破益州，斩首捕虏五万余级，获畜产十余万。上曰："钩町侯亡波率其邑君长人民击反者，斩首捕虏有功，其立亡波为钩町王。大鸿胪广明赐爵关内侯，食邑三百户。"

——班固《汉书》卷九十五《西南夷传》

句町古国位于今广西与云南交界处。在西汉时期，它曾为中央经略西南地区做出积极贡献。句町的社会文化具有多元特征，促进了各民族交往交流交融。

句町与汉的关系以和为主

据《华阳国志》记载，句町国“其置自濮”，也许是因为濮人从长江流域南迁后，给句町首领此封号。句町立国的具体年代，已不得而知。战国时秦国兼并蜀国，开辟五尺道，在西南夷之地设置官员，句町是秦吏管辖的其中一个侯国。至西汉时期，司马迁曾言“南夷君长以十数，夜郎最大”，然后以夜郎、巂（xī）、莋（zuó）、駹（máng）等“最大”之国为坐标，列举其周边政权，没有出现句町的名字。这意味着在汉朝于西南置郡之前，句町还只是西南夷中的一个小国。汉武帝时为攻打南越，先遣唐蒙至南越上游之地，联络西南夷。唐蒙先说服势力最大的夜郎侯，进而引起了夜郎“旁小邑”的效仿，学者认为句町应属于“旁小邑”之一，但从后续置犍为郡的情况来看，“旁小邑”应是指夜郎毗邻的西北一带，不包括它毗邻的南部的句町。

汉武帝平南越之后，西南夷的形势大变。武帝本想利用西南夷之兵，助攻南越，不料且兰（今贵州都匀、黄平、贵定一带）国君怕出征后，旁国乘虚而入，于是举国反叛，杀汉朝使者和犍为太守，阻隔了岭南与滇国的交通。此事过后不久，南越被攻破，武帝随即命郭昌、卫广灭且兰，在其地置牂（zāng）柯郡。南越国的灭亡令西南夷无比震恐，于是夜郎君入朝，被封为王。汉朝杀且兰首领、邛君和莋侯之后，另一较大的地区冉駹主动请置官吏，于是汉朝以邛都为越嶲郡，莋都为沈犁郡，冉駹为汶山郡，广汉西部的白马为武都郡。批量设置郡县，必然要涉及对原先行政区划的调查和调整，句町国应当是此时正式进入汉朝视野的。

在汉武帝时期，西南夷诸君长被封为王的，只有夜郎和滇国。句町在汉昭帝时正式出场，已经是侯爵，但不知是何时所封。汉昭帝时期，句町侯因为派兵助剿，品秩升格。昭帝始元元年（公元前86年），益州廉头、姑缯民反，反叛很快向外扩散，引起牂柯、谈指、同并等二十四邑共三万余人附和。汉朝很快平定乱动。公元前83年，姑缯、叶榆复反，汉将吕辟胡畏缩不进，导致汉军遭受重大损失。公元前82年，汉朝再次派兵攻打叛军，大获全胜。在短短几年间，汉朝两度出兵平乱，句町王具体参与的是哪次战争，已不得而知。事后，汉昭帝赏赉功臣时说："句町侯亡波率领其部众，帮助击败叛军，斩首捕虏有功，立为句町王。"至此，句町国的规格由侯国升为王国。

句町王国北近夜郎王国。在句町封王之前，夜郎在此区域一家独大，现在却要面对句町国的威胁。汉元帝时，由于汉朝国力衰落，不得不接受贾捐之的建议，放弃了位于今海南地区的珠崖郡。汉成帝河平年间（公元前28—前25年），夜郎王兴与句町王禹、漏卧侯俞举兵相攻，汉朝遣张匡持节和解。从使者“持节”这点来看，中央是充分释放了调解矛盾的诚意的，但夜郎王兴不但不服从，反而用木头刻成汉吏的形象，置于道旁张弓射之。这种赤裸裸的侮辱之举，引起中央的震怒。汉朝一方面暗地做好充分准备，意欲选派得力人才担任牂柯太守，在秋凉时节进军，一举击杀叛酋；另一方面汉朝认为“不毛之地，亡用之民，圣王不以劳中国”，拟在战后“罢郡，放弃其民，绝其王侯勿复通”。这种“限隔蛮夷”的思路，其实是因袭了贾捐之“非冠带之国，《禹贡》所及，《春秋》所治，皆可且无以为”的观点。

按照这种思路，新任牂柯太守陈立用计杀死夜郎王兴，致使“钩町王禹、漏卧侯俞震恐，入粟千斛，牛、羊劳吏士”。其后陈立又扫平残余叛军，巩固了汉朝在西南地区的统治。陈立功勋卓著，戡平乱局，使汉朝搁置了放弃西南诸郡的想法。至迟到汉平帝元始二年（公元2年）时，句町已成为牂柯郡属县，因为《汉书·地理志》以该年为断限，在牂柯郡名下记入17个县，句町即是其中之一。至此，句町与汉朝中央的关系都是和睦的，直到王莽篡汉，双方关系才由玉帛走向干戈。

公元9年，王莽建立“新”朝，褫夺句町国的王爵，将其贬为侯国。句町王邯心生怨恨，于是牂柯郡大尹周钦诈杀邯，又引起了邯弟承的报复。以句町与牂柯的反复仇杀为起点，“三边蛮夷愁扰尽反，复杀益州大尹程隆”。王莽先是派遣冯茂南征，因遇疾疫而损兵十分之七，后又派遣廉丹等发天水、陇西骑兵与广汉、巴、蜀、犍为吏民10万人，共输送20万人兵力，力图一举戡平西南乱象。不幸的是，新莽军队陷入了持久战，在军粮不继和士卒疫病的双重困扰下，三年间死亡数万人。句町乱局的持续，引起了西部族群的效仿，越巂人任贵杀太守枚根，自立为邛谷王。事已至此，王莽无法处理乱局，还没等他有进一步的动作，刘秀建立东汉，挟统一之威诛杀任贵，并复句町的王号，西南地区的秩序才安定下来。

大概是进入东汉之后，句町势力衰落，其事已无足举，所以此后史书少见关于句町的史事。后人仅在地理志中偶见其名，《续汉书·郡国志》牂柯郡16个属县中列有句町之名。三国蜀时，句町县改属新设置的兴古郡。《晋书·地理志》所列兴古郡11个属县中仍有句町。《宋书·州郡志》和《南齐书·州郡志》所列宁州兴古郡6个属县中也还有句町。至《隋书·地理志》中，句町之名已经消失。从以上的线索中，可以推断句町在南朝时期仍然存在，只是其具体消亡时间已不可知。

东接象郡，西林曾为政治中心

句町国的境域与国都，前人已经大致推出。据学者考证，西汉句町的境域包括今云南的广南、富宁和广西的西林、隆林、田林、右江区以及那坡、德保部分地区。有学者曾推断，句町县“当在宝宁（今云南广南、富宁）、百色、泗城（今广西西林、隆林、田林）、镇安（今广西德保）之间”，大致可信。应该指出，这个范围大体是西汉句町的范围，此前的句町国范围可能较大，但已无从考证。

句町国西部、北部毗邻的皆是西南夷诸国，唯东部所接界的汉郡，因与历史上的象郡谜案有关，需要特别阐明。著名历史地理学家周振鹤先生推断汉朝仍有象郡，其境域“应有《汉志》郁林郡西半部及牂柯郡部分地。其南界和西界北段当和《汉志》郁林郡同，与合浦、交趾、牂柯三郡为邻；西界北段当包有《汉志》牂柯郡毋敛县在内，该县位于郁林郡广郁县以东北，是牂柯郡唯一可能原属象郡之地。象郡北界即毋县之北境”。如此，则句町国东部应与汉朝象郡接界，而非郁林郡。元凤五年（公元前76年）罢象郡后，句町才与郁林郡接界。

那么句町国的政治中心位于何处呢？目前限于资料，尚无统一的看法。但可以说，广西西林县曾一度是句町的政治中心。1969年12月15日，西林县试图修通从县城八达至田林潞城的公路。民兵排在普合苗族乡取土时，发现了一具铜棺，遗憾的是，这具铜棺最后被毁坏殆尽，未能发挥出更多的研究价值。1972年，在距离铜棺不足20米的地方，考古专家发现了一个铜鼓墓葬，从中发掘出铜鼓、铜跪俑、玉器等物。专家认定，这是一座句町国墓葬，墓葬主人应是句町王族甚至是句町王本人。

根据广西壮族自治区博物馆原馆长蒋廷瑜先生的看法，首先，云南晋宁石寨山是滇王及其王族的墓地，一墓随葬铜鼓最多只有3件。西林县铜鼓墓用四鼓作葬具，互相套合，象征着内棺外椁，当然是十分隆重的。西林县铜鼓墓主人生前地位显赫由此可见。其次，死者骸骨周围散布着无数细如粟粒的松绿石珠和残绢片，推测原是“珠襦”裹骨，这在统治阶级中也不是一般的葬礼。对死者的骨骼和牙齿进行鉴定后确定该墓主人是二十五岁左右的男性。骑马俑的骑士头戴武冠，身穿袴褶，缚裤，束臂鞴（bèi），脚穿靴，威武雄健，可能就是墓主人生前的形象。随葬品中有铜柄铁剑、铁铤铜镞等武器，有耳杯等食器，有六博等玩具，还有大量玉石、玛瑙佩饰。综合这些情况，可以推知墓主人很可能就是句町族的首领。

由此我们可以进一步推知，西林县曾为句町国的政治中心。但句町国自先秦时期一直延续到南北朝，在这漫长的历史

广西西林出土的骑马俑

中，是否只有西林县一个中心呢？这个问题在目前仍未得到解决。目前能确切知道的，普驮作为句町王城至少经过两个王朝。至于这个王城经过了多少代王，尚无从知晓。而且，铜鼓墓葬的遗物丰富，据之可判定其年代为西汉前期；但是，由于当时铜棺墓葬是由群众发现和发掘的，绝大部分遗物都已佚散，因而其准确年代无从判断。这样，至多也只能说普驮一带是句町国在西汉前期的政治中心。

农牧结合，文化多元

句町国的经济结构，应当主要由粟、稻种植业和牛、羊畜牧业构成。陈立杀夜郎王兴之后，句町王禹"入粟千斛，牛、羊劳吏士"，即是此点的说明。以汉代度量衡折算，千斛即十万升，相当于今日的15625公斤，对于句町这种规模的国家来说，其数实为不少。这至少说明其王国内是有一定的粮食储备的。但其农业应当不太发达，因为其王国内多为山地，难用牛耕，这导致百姓在少粮时节，只能以桄榔面为能量补充来源。《后汉书·南蛮西南夷列传》则云："句町县有桄榔木，可以为面，百姓资之。"据说桄榔木"皮中有似椿米片，又似麦面"，可以做饵饼。

句町国的畜牧业较为发达。句町王禹送牛、羊犒劳汉军，数量应当不少。就目前的考古资料所见，句町国境内有牛、山羊、绵羊等家畜。西林县铜鼓墓葬中的铜器上，刻画了许多羊的形象，计有山羊纹牌饰5件、心尖形绵羊牌饰6件。这些羊纹牌饰均鎏金，可能是用来祭祀的，目的是祈求神明保佑牲畜生长顺利。这也从侧面反映了畜牧业在句町国经济中的地位。除了以牛、羊为食外，句町人可能也食鹿，在西林县出土的铜鼓上，刻绘了27头鹿的形象。

句町国的文化具有多元融合色彩，这与它处在南越、夜郎、滇国的来往通道上有关。以葬俗为例，西林县出土的铜棺十分厚重，棺体一次铸成，表面鎏金。铜鼓墓则以铜鼓为葬具，4件铜鼓互相套合，内置男性骨骸。可见当时对厚葬的推崇。中原墓地多数封土，但句町国的铜棺墓和铜鼓墓都无封土。中原的大墓一般是一次葬，句町国则是一次葬和二次葬并行：铜棺长约2米、宽0.66米、高0.8米，是一次葬的葬具；而铜鼓容积狭小，应是二次葬的葬具。这种葬俗表明，句町文化受到汉代文化风气的熏染，但又有着本民族的特点，内化着民族交流的影响。

西林县出土的铜鼓鼓胸上刻有羽人划船纹，格外引人注目。西林县普驮铜鼓发掘报告显示，羽人划船纹共六组，每船有羽人九至十一个，均头戴长羽冠，其中一人跨坐船头，一人在船尾掌舵，一人高坐于靠背台上，两人执羽仪舞于台前。九人一船的有四人荡桨，十一人一船的有五人荡桨，另一人舞于船尾。船外的一端有大鱼一条，另一端有站立的长喙鸟两只。羽人划船纹的描绘对象，可能是水上狩猎或祭祀活动。与南越王赵胡墓提桶和玉缕1号铜鼓上的羽人划船纹合观，我们可以

广西西林出土的用作葬具的铜鼓

看到它们在人物形象、活动形式、画像细节中的共通之处。从中可以推想句町文化与南越、交趾文化都有交流。

汉武帝平南越后，西南夷竞相入朝。在此情势下，中央对西南地区进行境域调查和分划，在设置郡县的同时保留了原有的侯国、王国，句町国在此时正式进入中央的经略视野。此后，句町国一直对汉朝保持忠顺态度，参与了中央的平叛活动，在夜郎王兴被杀时，又积极出粟米和牛羊劳军，维护了西南地区的稳定局面。句町国曾将今广西西林地区作为政治中心，其境域东接汉朝的象郡，直至汉元凤五年（公元前76年）罢象郡后，才与郁林郡接界。句町国的经济结构，表现了当地人因地制宜的智慧。从其葬俗和铜鼓的羽人纹饰中，可以看到明显的对外交流和民族融合痕迹。尽管句町国在历史长河中存在的时间不算长，但其背后代表的稻作文化、古代青铜文化、民族文化等成为中华民族历史文明中璀璨的一页。

灵渠：融入中央版图的通道

（秦始皇）又使尉屠睢将楼船之士南攻百越，使监禄凿渠运粮，深入越，越人遁逃。旷日持久，粮食绝乏，越人击之，秦兵大败。秦乃使尉佗将卒以戍越。当是时，秦祸北构于胡，南挂于越，宿兵无用之地，进而不得退。行十余年，丁男被甲，丁女转输，苦不聊生，自经于道树，死者相望。

——司马迁《史记》卷一百一十二《平津侯主父列传第五十二》

在秦朝统一战争遇到瓶颈时，监禄负责凿通灵渠。灵渠自凿通之后，盘活南北交通，影响周边局势，造福当地民众。在历代的接踵继修之下，灵渠的多维功能被充分挖掘，它成为一条文明水脉，为广西乃至岭南文化持续注入“源头活水”。

修建新道，九州共贯

秦朝征伐岭南时，系统性地开辟“新道”。“新道”主要有四条：自全州入桂林道、自道县入贺州道、自郴州入连州道、自大余入南雄道。“新道”不能简单地被理解为“道路”，它还是通过加筑原有的过岭山路，进而联系岭南、岭北水路所形成的水陆兼运格局，具有政治、经济、文化等多重内涵。秦朝通过“新道”将岭南纳入中央管理体系中，为中原与岭南的货殖活动、文化交流、民族融合提供了支持。在烽火连天的岁月里，“新道”则成为岭南自保的重要依凭，赵佗建立南越国就是通过“绝秦所开新道，聚兵自守”而实现的。这表明“新道”自从开辟之后，就深刻融入岭南的地理基因中，成为后世治乱分合的常量与变量。

灵渠道位于秦朝“新道”系统的最西端，是当时中央南下经略瓯骆之地的首要通道，曾在秦军南征中起过关键作用。秦始皇帝二十四年（公元前223年）灭楚国之后，遣尉屠睢率兵五十万人，挟战胜之势“南征百越之君”。出乎秦人意料的是，战事进展异常艰难，导致秦军“三年不解甲弛弩”。由于未能实现速决，秦军陷入粮草短缺的风险中，原有的过岭道转运艰难，秦军必须开辟新的节省成本的道路。秦军在攻百越的同时进行的还有北方攻击燕、齐的战争，如果因粮草短缺而导致南方军心思乱，势必还会动摇整体的南北大局。于是，开辟新路势在必行，这个重任落在了监禄的肩上。

监禄即“监御史名禄”（亦称史禄），史书对他的身世语焉不详。从官职来看，他应是“掌监郡”的监察人员。同时可以想见，他应当具有水利方面的专门才能。在修建灵渠前，秦人已经积攒了丰富的筑渠经验。李冰在蜀郡修建的以都江堰为首的水利体系举世闻名，不仅为之后的统一战争提供经济支撑，还奠定了成都作为“天府之国”的地位，“不知饥馑，时无荒年”，使当地民众受惠至今。在关中地区修建的郑国渠，有效地改良了当地的水土环境，使关中成为沃野之地，“秦以富强，卒并诸

广西兴安灵渠四贤祠中的史禄塑像

侯”。在以水利促耕战氛围的长期浸润下，监禄应当掌握了一定程度的水利知识，这是他被委以重任的资质前提。

开辟灵渠道是为了贯通长江和珠江两大水系，这个宏大目标是通过沟通从属于长江的湘水和从属于珠江的漓水而达成的。湘水出于海洋山，自南向北流，漓水出于猫儿山，自北向南流。古有“湘漓同源”之说，认为湘水、漓水同出于海洋山，今人已证其诬。那么“湘漓同源”说是否完全没有历史价值呢？未必。该说法最早明确地见于汉朝记载，但也许早在战国秦朝时就已有端倪，因为它凸显了中原对于岭南地带的有限认知。正是认同“湘漓同源”，秦人才会注意到同源之处的冲要与便利，并进一步展开实地踏勘活动。在踏勘中，监禄更多地注意交通可行性，只要水文情况满足开道需求即可，对于二水源流问题可能未加细查。

灵渠道开辟之后，秦军粮道畅通，士气大振，“以与越人战，杀西呕君译吁宋”，使“越人皆入丛薄中，与禽兽处”，一举将岭南纳入版图之中。灵渠作为要道，必须有屯兵把守，所以秦人于锁钥处修建若干戍堡，声名最著者是秦城，“城北二十里有严关，群山环之，鸟道不可方轨”，至今仍有遗堞存留，成为后人凭吊之资。秦城的意义是双向的，既是中原王朝制御岭南的一个楔子，也可以成为形势变化时退保岭北的冲要门户，正如周去非在《岭外代答》中所言：“进有建瓴之利势，退有重险之可蟠，宜百粤之君委命下吏也。”由于灵渠和屯堡体系的建成，最终岭南融入中央版图。

尽管灵渠道的开通在时序上系于蜀郡水利之后，但它们的历史意义具有同质性。蜀郡水利体系理顺了长江上游的水文关系，使秦国灭楚战争得以顺利推行。灵渠的修筑可以被视为蜀郡经验的复制，秦通过开辟灵渠，打通了长江和珠江水网的联结点，一个覆盖南方的政治经略、军事驻防、经济交流网络正式形成。水利是秦人大小相维的整体战略的重要构件，正是依靠“通水粮”的动力革命，才使秦人形成了“不可与战”的优势。在这个层面上，灵渠的意义在于化水力为水利，以活水冲决壅塞，以水运助兴国运。在秦朝实现六合同风、九州共贯的一统进程中，灵渠是具有标志意义的象征符号。

历代利用，接踵修浚

秦朝短命，未及充分挖掘灵渠的多重维度的作用。秦朝灭亡后，中国迎来了多个长期统一的王朝，灵渠的潜在价值被释放出来。历代或因势利导或因缘增修，对灵渠进行了充分利用。

最典型的利用仍然体现在军事运输方面。汉武帝元鼎五年（公元前112年）征南越，以归义侯郑严为戈船将军，其进军路线为“出零陵，下漓水”，即经过灵渠道。东汉光武帝建武十七年（公元41年）马援南征交趾时，“开湘水，为渠六十里，

广西兴安灵渠俯瞰图

穿度城，今城南流者是，因秦旧渎耳”。唐敬宗宝历元年（公元825年），李渤疏浚了淤塞严重的灵渠河道，提升了航运效率，又对堤坝和闸门进行改造，提升了灵渠的防洪和灌溉能力。在将南诏驱逐出安南不久后，唐懿宗咸通九年（公元868年），鱼孟威再次疏浚灵渠航道，使“百斛大舸，一夫可涉”，为中原出兵保卫静海军提供支持，“灵渠”之名正式产生于此时。此后历代继续对灵渠进行修治。

唐代以后，灵渠的经济功能进一步凸显。据统计，自唐以来灵渠共经历35次修缮，修缮目的是维持漕运网络和民间贸易，如《宋史·李师中传》载“桂州灵渠故通漕，岁久，石窒舟滞，师中即焚石，凿而通之”。明代徐霞客游览灵渠，亲眼见过“巨舫鳞次”的场面。不同时期的灵渠所运商品有所侧重：元明两代，粤盐所占比例犹重；清代灵渠所运物品更加多元化，粤盐、滇铜、湘米皆经由此处流通南北。清广西巡抚陈元龙评价：“夫陡河虽小，实三楚两粤之咽喉，行师馈粮以及商贾百货之流通，唯此一水是赖。”

灵渠的农业灌溉功能一直十分突出。此功能的发展与唐代以后桂林地区人口增长和农田开发密不可分。宋神宗熙宁年间（公元1068—1077年），摄兴安知县李忠辅修浚灵渠，整治灌溉设施，灵渠两岸田地得受其利。明太祖洪武四年（公元1371年），地方官府修复了灵渠堤岸与36座陡门，洪武二十九年（公元1396年）严震直修复灵渠沿线的24处灌田水涵。清世宗雍正八年（公元1730年），鄂尔泰和金鉷等整修灵渠与相思埭，两渠共灌田达数万亩。清高宗乾隆二十年（公元1755年），杨应琚再次疏浚灵渠与相思埭，灵渠两岸“农田之赖以灌溉者，不知其几千百亩”。

文明水脉，人文渊薮

借由对灵渠道等系列水陆通路的娴熟运用，秦人建立了史无前例的“维新”国家，较为成功地解答了“周秦之变”这一命题。秦人继承了“五德终始”的解释系统，自命为“水德”，认为“水主阴，阴刑杀，故急法刻削，以合五德之术”，意思

广西兴安灵渠

是秦为水德，水德主阴，阴在政治上表现为刑罚，因而秦的治理更多依赖严苛的法令。这种解释水德的方式，一方面体现了秦人对周朝重德观念的保留态度，另一方面内蕴着自商鞅变法以来的重法惯性和天下初定时重典治国的逻辑。水漫天下，四海归一，秦人用水建立了一条意义链，无论是观念中的主刑尚法，还是实际上的水脉联结，都是为了破除界限，因而都应被纳入到是否有利于天下一统的评价标准中。灵渠应被视为以咸阳为中心的宏大系统的中间环节，这种对整体性的追求在《禹贡》的水利规划中就已非常明显。

灵渠是我国水环境治理的重要成就，它不仅是水运航道线，还是历史时间线，其沿岸区域分布着时间参差、类型多样的自然和人文景观，体现出人与自然的和谐共生。探究灵渠沿岸建筑古迹、摩崖石刻、诗词题咏的历史层垒，钩沉古人的日用生活和交流图景，对我们理解中华水韵文明的历史实践大有裨益。

中国科学院外籍院士李约瑟先生曾评价："灵渠的重要性不应当被忽视，它就好像一条交通锁链的一环，特别在公元前3世纪，这条交通锁链比世界上任何地方都突出。"他还将灵渠之"灵"翻译为magic（神奇），以强调其工程设计的精妙。灵渠是岭北航运和岭南海运的联结点，它盘活了长江与珠江的内河航运网络，促进了河海联运系统的生成。中原文化经由灵渠南传后，又对世界产生影响，使中外文化交流互鉴成为可能。灵渠沿线发现的汉、唐胡人俑就是这方面的生动注脚。

广西兴安灵渠沿岸发现的胡人俑

灵渠是中国古代水韵文明的重要象征之一，在历朝的开发利用中展现出价值的永恒性。它承载着六合同风、九州共贯的大一统理想，内蕴着水—地—人三维地理架构，具有文明交流互鉴的世界意义。它是沟通南北、华风溢流、泽惠地方、润人化物的文明水脉，形塑了中华民族共同体的历史记忆，使岭南变成各民族交融的乐土，为兼收并蓄的岭南文明开辟了精神栖息地。我国当前正在推进美丽中国建设，灵渠的当代价值更加凸显。灵渠将进一步筑牢水环境安全屏障，绘就新时代生态文明建设的新篇章。

广西简称的由来：秦朝建置三郡

及至始皇，奋六世之余烈，振长策而御宇内，吞二周而亡诸侯，履至尊而制六合，执敲扑以鞭笞天下，威振四海。南取百越之地，以为桂林、象郡。百越之君俯首系颈，委命下吏。

——司马迁《史记》卷四十八《陈涉世家第十八》

秦朝经历长期战争后，在岭南设置南海、桂林、象三郡。三郡的设立是秦朝真正统一的标志，体现了秦始皇的天下视野，蕴含着中央对地方的经略思路，为中原制度开辟了南植空间，对岭南、岭北的交流提供行政支持。

逃而不敢進【索隱】九國者謂六國之外更有宋衛中山秦無亡矢遺鏃之費而天下固已困矣於是從散約敗爭割地而賂秦秦有餘力而制其弊追亡逐北伏尸百萬流血漂櫓【索隱】說文云櫓大楯也因利乘便宰割天下分裂山河彊國請服弱國入朝施及孝文王莊襄王享國之日淺國家無事及至始皇奮六世之餘烈振長策而御宇內吞二周而亡諸侯履至尊而制六合執敲朴以鞭笞天下【索隱】臣瓚云短曰敲長曰朴威振四海南取百越之地以為桂林象郡百越之君俛首繫頸委命下吏乃使蒙恬北築長城而守藩籬卻匈奴七百餘里胡人不敢南下

《史记》中关于秦朝建置桂林郡、象郡的记载

凿空岭南，天下归一

公元前221年，秦朝建立。尽管嬴政不是要做“旧天子”，而是要当“始皇帝”，但他对周朝的某些观念仍是袭取的，其中最重要的是“天下”观念。在“天下”观念下，世界既是物质的也是思想的，具备地理空间、政治空间、人文空间、神文空间等多维属性，“天下”是一个充塞着崇高价值的王道寰宇。普天之下，“王者无外”，既含括华夏诸国，也覆盖了四夷之地。因此，我们应该认识到秦朝是在建立“天下”，而不只是“国家”。

秦朝的统一包括兼并中原故地和拓土四夷新区两个层面。“秦王扫六合”，兼并的是“海内”之区，而北攻胡人，南征百越，开辟的是“海外”之地。周人的“天下”是在“夷狄各以其贿来贡”的前提下，承认“夷狄”与中原共在，最完美的形式是王会来朝，“协和万邦”。秦朝对于四夷的态度，是重界限而不严隔绝，重区别而不拒转化，重大同而尊重多元。秦人则更新观念，一改“楚子称霸，朝贡百越”的旧风，把兵威可及之处全部变为直接行政区。所以，岭南三郡建立后，秦朝的统一才真正完成。

秦朝对岭南的统一体现在多个维度上。政治方面的同政令，应与书同文、车同轨等措施同步，而设置郡县又是同政令范畴下的重要举措。它有表里两个方面的内涵：从表面看，展现了秦人“体国经野”的行政手段，即通过设置南海、桂林、象三郡，把岭南纳入经制体系之中，其中桂林郡和象郡主要在今广西境内；从内里看，浸透着“分土治民”的逻辑，人口密度既决定了政区密度，也决定了行政管理幅度和深度。岭南三郡的设置，是把政治地理当作调节人地关系的方法，将原本的自然空间变成政令流布、交通畅达、秦法充塞的人文空间，是中央集权意志的落实与具象展现。

岭南三郡的设置具有类似张骞“凿空”的意义。在战国人的观念里，百越之地是不在“茫茫禹迹”之内的。《禹贡》所分九州，荆州北起荆南至衡阳，扬州则在淮河与东海之间，岭南地区处于圣王教化不至的“荒服”区域，因而也就成为“大治濯俗，天下承风”的对象地。这意味着秦朝统一的不只是“六国”，而且是超出“六国”范畴的“天下”。秦据岭南，既是中央管辖体系从中心向边缘的扩展，又是岭南地区嵌入中华民族共同体的绝佳契机。秦在岭南的开辟成功地打破自然与人文隔绝，将因地理因素自然形成的文化梗阻线转化为交流的锋面，成为“达九州而方瀛海”的重要举措。

秦朝在岭南的经略，使我们明白“中国”是在“天下”理念统摄下的渐进生成的动态过程，四夷之地所在的“外”，不是悬隔不通，而是尚未治理。“中国”如漩涡一样不断吸纳周边文化，同时扩大自身的覆盖境域，成为多文化、多族群的向心共同体。多文化之间的共生互化，各民族之间的交流互融，一直是此后岭南历史的两条主脉，尤其是移民的大举迁入，充实了新辟郡县的户口，长期的“与越杂处”改变了岭南的人口分布与血缘结构，原有的民族界限开始模糊。更重要的是，生产方式的更新促成了区域财富的再分配，这是移民能够扎根，民族融合得以持续的根本原因。

桂林郡、象郡在今广西

在岭南三郡中，南海郡位于今广东地区，桂林郡区域则覆盖今广西大部，人们对此均无争议。今日广西又名“桂”，如果进行溯源的话，还与桂林郡有关，《旧唐书》载：“江源多桂，不生杂木，故秦时立为桂林郡也。”唯有象郡，疑团最多，对其得名和方位，古来聚讼纷纭。

对象郡的方位一般有三种看法：一是认为在今越南北部和中部；二是认为在今广西和贵州一带；三是认为相当于汉代的日南郡，即今越南中部偏南地区。在中国历史地理学科主要奠基人之一的谭其骧先生主编的《中国历史地图集》中，将秦象郡主要划在广西境内。周振鹤先生考证汉朝仍有象郡，其地不在越南境内，而在今贵州东部和广西西部。由此上推，秦朝象郡境域应与此无异，因为在秦汉因革的短时间内，不可能将同名政区进行完全的空间置换，这不符合政区演变的规律。

从秦郡的设置原理和当时的史事来看，象郡也应主要在今广西境内。秦朝设置郡级政区时，会首先考虑地理环境的综合承载力，所以会倾向选择规模较大的平原作为治所，南海郡治番禺，桂林郡治布山，皆符合这个特征。由于桂林郡的南缘已到今南宁地区，所以象郡设在左、右江河谷平原地区最为合宜，其治所应在临尘县（今广西崇左）。而从史事来看，当时交趾的红河平原已有名为安阳王的势力，其直到南越国时期才被灭亡，所以象郡不可能延展至红河平原一带。交趾地区直到赵佗灭安阳王后，才最终纳入郡县。

郡县制与“以故俗治”

历史已经清楚地表明：秦朝创造了统一规模，树立了统一法度，却没有建成维护统一的机制，于是陷入速亡的命运。反过来，我们也可说，历史没有为秦朝预留足够的时间，因而后人才有猜想秦朝可能性的空间。虽然这些猜想已超出历史命题的范畴，却不妨碍我们从讨论中获得启示。如果从行政区划方面进行思考，我们会发现郡县之设固然益处良多，但单一性质的区划不利于秦朝的长期统治。

秦朝在岭南设置郡县，意在使“华风南渐，以夏变夷”。这表明在秦人看来，华夷是有分别的，问题在于如何处理这种分别。不同的处理方式直接导向不同的结果：尊重故俗会导向“和而不同”，抹杀区别会导致单轨统治。从先秦时期的治理经验来看，在“华夷有别”的基础上进行“以故俗治”，是可取的途径，《左传》所谓“启以夏政，疆以戎索”就是如此。秦朝摒弃了这些优秀经验，将所有区域都变成直接行政区，在他们看来这也可以达到“莫不受德，各安其宇”的目的。实际上，这固然解决了“六合之内，皇帝之土”中“同”的问题，但却难以应对多民族并存情况下的“和”的问题。

秦朝国祚短促，与它采取单一行政区划的关系甚大。秦始皇在统一之后，执着于“用壹威权”，没有及时转变统治方式，仍然采用处理诸侯事务的方式、缺乏弹性的治理体制、高度紧绷的战时系统来应对新的问题，注定难竟其功。在秦始皇掌权时，尚能依靠其个人威权维持安靖，但他一去世，隐患就迅速爆发，达到无法补救的地步。不妨设想一下，如果他在对待六国故土、百越、北胡时，能尊重其传统习惯和民风地情，重视制度的柔韧性与渗透性，设置多轨的行政区划，历史可能是另外一种面貌。

秦始皇设置岭南三郡，体现了他对“天下”观念的理解与践行。郡县的设置，使秦朝完成了真正的一统，持续巩固了岭南作为中国版图的地位。桂林郡、象郡主要位于广西境内，秦人通过政治控制、移民植入的方式，改变了户籍、人口、经济结构，激活了各民族的交流动力。我们也应看到，秦朝的单轨政区是对“以故俗治”原则的抛弃，违背了实际的地情，因而难以达到“和而不同”的大治境界。如欲在多民族地区实现稳定治理，中央经制和区域自治相结合，仍然是不二法门。

从历史的经验来看，在中国这个广土巨族、多元一体的国家里，实行单一行政区划的王朝都是短命的，秦、隋皆是如此。反观其他享国较久的王朝，包括由少数民族建立的辽、夏、金、元，都与它们实行多轨行政区划有关。中国古代把政区分为经制区和“自治”区，是顺应民族构成实际的。这既是对过往政治实践的经验汲取，也确实对国家稳定、民族融合起到积极作用。当代的民族区域自治制度继承了古代治理智慧的精髓，正如中国史学会历史地理研究会副会长郭声波先生所言：“中华人民共和国成立以来建立的民族区域自治制度，虽然有苏联模式的影响，但也可看成是中国历史上民族区域自治制度在现代的延续与革新，是马列主义民族理论与中国历史实践相结合的产物，是中国对世界民族政治制度的贡献。”

南越国两归中央

老夫身定百邑之地，东西南北数千万里，带甲百万有余，然北面而臣事汉，何也？不敢背先人之故。老夫处粤四十九年，于今抱孙焉。然夙兴夜寐，寝不安席，食不甘味，目不视靡曼之色，耳不听钟鼓之音者，以不得事汉也。今陛下幸哀怜，复故号，通使汉如故，老夫死骨不腐，改号不敢为帝矣！

——班固《汉书》卷九十五《南粤传》

秦末汉初，赵佗雄踞岭南，使岭北群雄不敢小觑。与汉朝交往时，他审时度势、顾念大局，先后两次归顺中央，南疆安稳赖以保全，民生户口不致耗减，民族交融得以持续。

应时而起，保境安民

公元前219年，秦朝在西瓯、骆越设置桂林郡、象郡，今广西之地首次纳入中央王朝版图。郡县制内蕴着前瞻性的布局思路，为广西铺设了政令、军事和教化空间，对岭南各民族交往交流交融产生积极影响。赵佗就是当时南征军队中的一名将领。

公元前209年，陈胜、吴广发动反秦起义，“王侯将相宁有种乎”的宣言，一时间遍传宇内。为避免中原乱局波及岭南，时任龙川县令的赵佗接受任嚣建议，集兵以备变。他打着防范“盗兵”的旗号，封闭横浦（今广东省南雄大庾岭）、阳山（今湖南省临武、桂阳、宜章交界处）、湟溪（今连江与北江交界处）等险要关口，断绝与中原的一切联系。又以犯禁当诛的名义，剪除仍然效忠秦朝的官员，悉数替换为亲信部属，从而实现了南海郡的自保。

“赵佗”铜印印文

但赵佗并未就此止步，他在密切观望岭北形势。当时中原龙蛇起陆，争霸连年，赵佗不甘寂寞，也乘机谋求扩张。他所据的南海郡，北为楚国，东、南皆为沧海，只有西部的桂林郡、象郡可为用武之地。此时秦朝已经灭亡，两郡的秦人余部本就只是勉强自守，自然难以抵挡赵氏雄兵，于是南海郡、桂林郡、象郡三地，在经历秦末的短暂割裂后，再度归入统一管辖之下。只不过这次的上级不再是中原王朝，而是赵佗。

赵佗以三郡之地，建立南越国，自号“南越武王”。至此，在诸侯未加重视的南疆之地，一代枭雄应时而生。此时赵佗虽具有制服西瓯、骆越等部族的能力，但他选择了“止王南越”，与其他势力和平相处。在风雨飘摇的乱世中，赵佗却以爱民之仁、保邦之智，将南越建成安居乐业之地，实属难得。汉高帝刘邦曾给予他中肯的评价：“当天下都在忙着诛杀暴秦时，南海郡尉赵佗在南方长期经营，其为政措施颇有章法，条理顺畅，所以他治下的人口并未减损，南越人好斗的风俗也日益休止，这些功劳应归于他的名下。”

审时度势，一归中央

公元前202年，西汉建立，中原大地重归安定。跟秦始皇一样，刘邦也开始将目光投注岭南。在他的眼中，汉朝承接秦之天下，南越既是秦朝故地，那自然不能自外于汉朝疆域。至于如何处理这种被预设的关系，则要因时因势而为。当时汉朝新立，内部百废待兴，外有匈奴虎视，所以刘邦不敢贸然举兵南进，只好发挥“帝王术”，以遥领的名义，将南海郡、桂林郡、象郡划给长沙王吴芮，但由于三郡由赵佗实际控制，所以这只是一种形式上的虚封。同时，这也是在借南越之力牵制长沙国，使长沙“亡南北边”。“名不正则言不顺”，这种名实不符的状况，为长沙、南越两国的后续争端埋下伏笔。

在生息数年之后，汉朝中央积聚了一定力量，于公元前196年相继杀代王陈豨（xī）、淮阴侯韩信、梁王彭越。这也让赵佗感到肃杀之气，但他等来的不是汉军，而是刘邦的和平使者陆贾。此年五月，陆贾来到南越，他的使命是说服赵佗接受南越属汉的预设。起初他并未受到礼遇，赵佗示之以“魋（chuí）结箕倨”的姿态（即不戴冠，岔开双腿，两膝微曲地坐着，这是一种轻慢傲视对方的姿态），以测试陆贾的折冲樽俎之才。对此，陆贾先是发出诛心之问：“您家族坟墓在真定，为什么违背天性，弃绝祖宗冠带呢？”然后又从地缘形势、力量对比、天命民心的角度，对赵佗进行多维度游说，令他认识到与汉朝对抗的后果。赵佗最终决定接受汉朝的“南越王”封号。

由自立的“南越武王”变成汉封的“南越王”，赵佗不再夸饰“武”功，意味着汉高帝的怀柔政策成功了。汉朝对南越国的处理方式，体现出其经略理念的灵活性：一方面在除尽异姓诸侯王的情况下，唯独保留长沙国来防备南越国，在长沙、南越之间不按山川形便划定边界，而是刻意保持犬牙交错的形态，以形成对南越国的战术威慑；另一方面强调汉朝与南越的权力统属关系，南越要服从汉朝中央的权威，但其内部又保留高度的自治权，以统领区的形式存在于汉朝的区划体系中。

归汉之后，南越是具有高度自治权的“外臣”，汉朝对它“统而不治”。南越恪守自身定位，始终保持着对中央的礼敬，即便是在公元前195年刘邦诏立南武侯织为南海王，使其遥领南海郡时，赵佗也未有激烈行动。在此期间，赵佗遵从刘邦的指示，与汉朝中央保持着密切的政治、经济交流，继续推行民族交融政策。

深明大义，二归中央

吕后掌权后，在公元前183年听信长沙王的建议，禁止汉朝与南越的铁器贸易，控制对南越的出口物品，她的目的可能有二：第一，削弱南越的经济力量；第二，试图用经济制裁的方式深化对南越的控制。赵佗怒言：“汉高帝立我为南越王，通使者来往，发展经济贸易，现在吕后听信谗言，将我视为蛮夷，禁绝贸易，这定是长沙王从中作梗，目的是依靠中央力量，将南越纳入长沙国境域中。”于是他自立为“南越武帝”，发兵攻打长沙国边境之地以示威，又收服闽越、西瓯、骆越等地。南越从“外臣”变成与汉朝对立的政权。

这种紧张关系持续多年，直到汉文帝时才发生改观。汉文帝奉行黄老“无为”之说，希望在平和的框架下解决南越问题，尽管有人以南越“拥兵阻阨，选蠕观望”为由，劝他发兵南征，却被他果断拒绝。他一方面为赵佗在真定的祖坟设置守墓人，按时供奉，又赐予赵佗的兄弟高官厚禄；另一方面派陆贾携带他的亲笔书信，再次出使南越国。

在书信中，汉文帝并未居高临下地指责赵佗，而是动之以情、晓之以理地进行说服。他先说自己是“高皇帝侧室之子”，目的是与吕后划清界限，再声称：“我之所以得帝位，是因为王侯官吏不懈推戴，不得不立。”在不动声色间给了赵佗“不争”的暗示。汉文帝又说：“你曾给隆虑侯去函，请求优待你的宗族兄弟，罢免长沙国的两位将军。我已经罢去将军博阳侯，派人抚问你留在真定的兄弟们，修治祖宗坟墓。我也想把犬牙相入的地方划给南越国，但臣下说这是高帝牵制长沙国的布局，我不能擅自更改。”亮明了解决问题的诚意和底线。最后说：“你自立为帝后，天下就成了二帝并立的状态，互不通使，这是争竞的行为，争而不让，不是仁者的作为。”他不说赵佗称帝是“僭越”，只说是其单方面的“争”。此处的“争”是发挥《尚书·大禹谟》的微言大义：“汝惟不矜，天下莫与汝争能；汝惟不伐，天下莫与汝争功。”汉文帝巧妙地批评了赵佗的自矜功伐，但又保全了赵佗的颜面。

大义觉迷，赵佗在文帝的劝告下，决定再次归顺中央，在南越国中宣告去除称帝痕迹，长为汉朝藩臣，例时奉贡。他以“蛮夷大长，老夫臣佗”的谦卑姿态，回函表明心意，这就是被后世评为“君臣之间，以至诚感应，如响与声”的《报文帝书》。在这封信中，赵佗先是立下基调：“吕后亲近小人，听信谗言，视我为异类……又风闻汉朝灭我宗族，掘烧先人墓冢，于是在与属下商议后，便改号为帝。但我只想在南越国内称帝，绝没有争夺天下的想法。在吕后削除南越的外臣资格后，我的使者也难以北上辩白。我怀疑长沙王就是那个进谗言的小人，所以发兵攻打他。”声称自己称帝是出于跟长沙国的地方矛盾，没有否定中央层面的一统政策，体现了赵佗成熟的政治智慧。

随后他又主动示弱：“南方是蛮夷杂居的卑下阴湿之地，东面的闽越只有千人就树立王号，西面的瓯、骆是蛮夷之国竟也自称为王。所以我窃取皇帝名号，只是聊以自娱罢了。”最后进行交心式的倾诉：“我在岭南已四十九年，现在已有孙辈，但终日寝不安席，食不甘味，不敢沉溺享乐，就是因为没有臣事汉朝。现在陛下怜悯我，让我再度成为汉臣，两方重新通使往来，以后我不会再称帝了。”这种示弱用和的姿态，正符合文帝“柔御天下”的风格，所以汉文帝接到书信后，对赵佗“分弃前患”感到十分欣慰。

赵佗之所以放弃帝号，除了感于大义、权衡时势之外，还因其世界观在起作用。《汉书》载赵佗之言：“故更号为帝，自帝其国，非敢有害于天下也。”他把“国”与“天下”分得很清楚。“天下”即汉家天子统御之地，与同传前文的“汉皇帝贤天子”呼应。赵佗认为称帝于本“国”，于天下是无害的，

南越国“万岁”瓦当

说明“天下”这一观念深入人心。他虽然自称“蛮夷大长”，但只是强调势力分异，而不敢自外于天下，其所治之南越国只是天下之一部分。这种天下一家的观念是他主动放弃帝号，请为藩属的内在原因。

赵佗再归中央之后，实行“内帝外王”之策，“其居国，窃如故号；其使天子，称王朝命如诸侯”。与其他诸侯王相比，南越王处于相对超然的地位，是各方势力试图拉拢的对象。公元前154年，吴王刘濞叛乱，就声称“寡人素事南越三十余年，其王君皆不辞分其卒以随寡人，又可得三十余万”。在波谲云诡的形势下，赵佗保持了事大之诚，没有派军参与“七国之乱”，从而避免了汉朝陷入分裂危局。

赵佗南越国两归中央的举动，固然有权衡利弊的考虑，但从更深层次来看，这是他深明大义、胸有器局的表现。他顺应中央集权的必然趋势，做出了保境安民的正确决定，展现出了超世的政治品格和对中央的高度向心力。在此后相当长的时间里，广西都是汉朝南方边疆的重要屏障，继续成为凝聚共识、辐射周边、滋养民生、万物化醇的福地。

和集百越：岭南各民族的共生

秦已破灭，佗即击并桂林、象郡，自立为南越武王。高帝已定天下，为中国劳苦，故释佗弗诛。汉十一年，遣陆贾因立佗为南越王，与剖符通使，和集百越，毋为南边患害，与长沙接境。

——司马迁《史记》卷一百一十三《南越列传第五十三》

汉高祖封赵佗为南越王时，对他提出了“和集百越”的要求。赵佗深刻理解了“和集”的内涵，并自觉内化至南越国的治策中。他也因之成为秦朝强硬统治模式的消解者、抚绥被压迫南越人的和解者、南越民俗风尚的表率者、南北民族融合的推动者。

剖符通使，巩固地方

公元前196年，南越国接受汉高祖封号，从无所从属的诸侯国变为西汉的“外臣”。汉高祖在立赵佗为南越王时，明确提出“和集百越，毋为南边患害”的要求。“和”则亲睦而不离，“集”则团聚而不散，这表明汉朝承认赵佗代治岭南、统摄诸部的地位，同时寄予四海升平、南疆安靖、民族团结的期盼，希望他能贯彻汉廷的民族政策，以怀柔之法来收取人心。

对赵佗来说，“和集百越”也确有必要。他面临着汉朝中央的强大压力。公元前202年楚汉战争结束，刘邦随即就对南越国进行牵制。先将岭南三郡与长沙、豫章合为一体，封为长沙国，此时岭南实由赵佗控制。公元前201年刘邦封齐信侯摇毋余为海阳侯，海阳县亦位于南越国境内。公元前198年，刘邦又封须无为陆量侯，“陆量”即岭南之地，仍属遥领性质。公元前195年刘邦封南武侯织为南海王，遥夺南

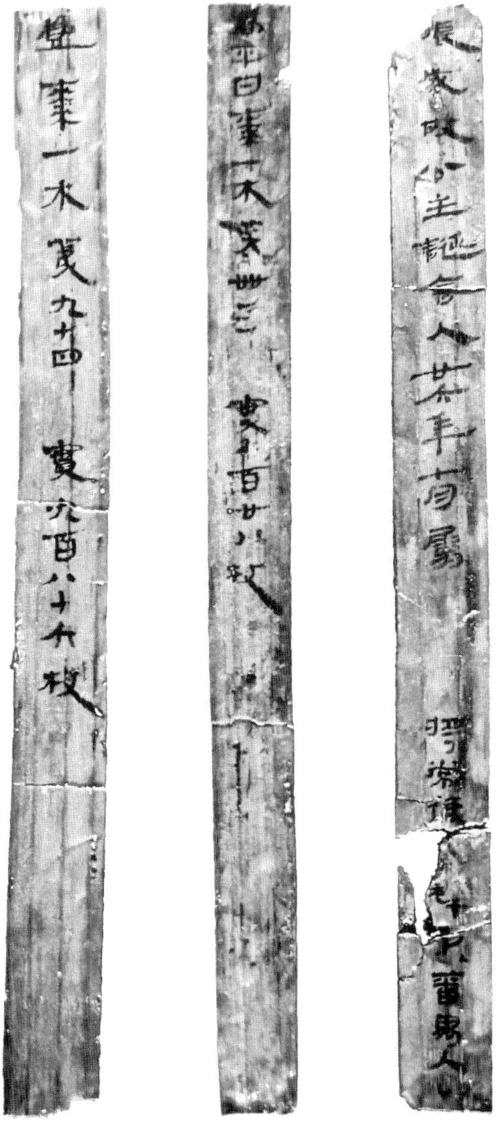

南越国木简

越国国都之地。尽管汉朝不能直接控制南越实土，但却能收连横制敌之奇效：既能防止南方首领互相联合，又能使南越成为众矢之的。此外，刘邦还在赣南屯扎大军，由大将灌婴率领，目的就是“防赵佗”。

外部压力如果纾解不当，势必向南越内部传递与蔓延。陆贾曾对赵佗说：“汉朝派一偏将率军十万，攻打南越，南越人会轻易转换立场，杀王而降服于汉朝。”尽管此言有纵横家的夸耀之嫌，但在赵佗听来，未必没有“勿谓言之不预也”的警醒之感。南越国与汉朝，表面上看是岭南与岭北的空间之分，其实还有不同文明阶段的时间之别，“和集百越”是赵佗必须解答的问题。南越国建立前，赵佗的职守以军事驻防为主，确保岭南地区在秦朝经制体系中的位置。南越国建立后，赵佗的角色由戍边将领转化为地方诸侯，他所面临的内外局势都已发生巨变。在南越“新造未集”的情况下，赵佗必须在军事服压之外，寻找更多维度的统治方法。

所以，“和集百越”是赵佗对内外形势进行综合研判和动态考量的结果：巩固根本之地，增加事汉筹码；借重汉朝声势，立威震慑南越国人。

和集百越，共生互融

汉朝的“和集百越”兼有“以夷治夷”和“以夷制夷”的

考虑。“以夷治夷”即通过汉人、南越人结合的官僚机构，任命少数南越人为官，治理多数南越平民。“以夷制夷”即汉朝利用南越国来统合广西地区的西瓯、骆越，牵制福建地区的闽越等其他势力，也包括利用南越的海洋技术与海外诸国建立联系。所以，“和集百越”不只注重南越内部事项，还包含如何处理与周边关系的内容，利用百越航海的技术，来发展海洋贸易，可以弥补南越“崎岖山海间”的地理劣势。目前出土的域外文物，可以视为当时开放精神的物化证明。

我们也不能把“和集百越”简单地等同于“以故俗治”。“以故俗治”其实在赵佗之前已有先例。战国末期，楚国将军庄蹻（jué）略定滇池一带后，面对秦国夺占巴郡和黔中郡，截断北归通道的局面，“因乃以其众王滇，变服，从其俗以长之”。庄蹻所据之地与岭南三郡不远，赵佗在岭南为官时对此应已有所了解。赵佗的“以故俗治”强调的是汉族文化与南越文化的并存，他只尊重南越人的善习，对淳俗予以保留，对妨害和谐的恶俗则果断废止，如“粤人之俗好相攻击”，赵佗则予以制止；南越人婚配原是“各因淫好，无适对匹”，赵佗则予以改革，如南越明王赵婴齐的长子建德系“越妻”所生，吕嘉家族“男尽尚王女，女尽嫁王子兄弟宗室”，通婚改变了越地的血统结构，并带动汉族与南越风俗的互渗与融合。

“和集百越”则注重汉族文化与南越文化的互融，其中蕴含着丰沛的鼎新精神，是对南越国整体力量的优化整合。

在政治方面，赵佗建立多轨政区体系。南越国复杂的空间单元、民族成分和历史传统，决定了不能武断地实行秦式的单一郡县制。南越政区分为经制区、封国区和典主区三类：经制区为南海、桂林、象三郡，承袭秦代境域，覆盖南越主体区域，由朝廷直接控制；封国区主要有赵氏宗室所领的苍梧国和部族首领控制的西于国；典主区为交趾、九真二郡，赵佗令两位使者“典主”事务，“诸雒将主民如故”。经制区和封国区体现了南越对岭北政制的承袭，典主区则是基于独特时空的因势创设。在郡县区域插花建立王国，对边地郡县进行间接统治，反而有助于郡县制度的继续巩固。赵佗在地方进行分层、分区、分类治理，在南越王廷层面则统合为一、居中制御，体现了他秉本执要的务实政风。

在民族关系方面，赵佗推行融合政策。他妥善处理了南来汉族人与当地南越人的关系，不但汉族人数量没有耗减，还使南越人的社会秩序愈加稳定。他将一些南越人尊为显贵，以恩威并施的手段来获取周边部族的合作。他改变了南越人落后的火耕水耨的生产方式，建立了青铜冶铸、铁器制造、造船、漆木器制造、制陶等手工业生产体系，加强了与汉朝与海外的交流。

在文化艺术方面，南越人尽管有自己的语言，但并未发明文字，因此南越国的官方文字仍是汉字，这已被层见错出的文物所证实，最典型的是木牍上的汉字，隶书波磔明显，篆书圆润凝重，透露出老到成熟的气韵。汉字的使用推动了南越国各民族的融合进程。南越艺术具有浓厚的共生特征。在出土的乐器中，具有南越特色的有铜鼓、建鼓、铜锣、羊角钮钟、响器、双吹孔竹笛等，石编磬、琴、瑟、铎、铙则明显属于中原乐器。这表明在南越音乐体系中，金石之乐和丝竹之乐并存，雅俗文化属性兼具。南越国的美术纹饰中，带民族特色的有谷纹、折带纹、八角星纹、瓣叶纹、涡纹等，带中原特色的则有饕餮纹、龙凤纹、勾连雷纹、蟠虺（huǐ）纹、卷云纹等，这正是汉越文化融合的具象体现。

文化融合不仅充斥于生世空间，还体现在幽冥空间中。目前岭南所发掘的南越国墓葬，基本呈现出杂处样态，尚未见到单独的汉人或南越人墓地。汉式和南越式器物混杂的情况相当常见，南越人墓中会有丰富的汉式明器，汉人墓中随葬越式器物的现象则更普遍，有时甚至无法通过葬格与葬品分辨主人的族别。有些明器中蕴含了民族融合信息，如提桶是南越人的重器，但也出现在赵胡的墓中；熏炉本是由中原移民南携而来，但在器型与纹饰中都有典型的南越文化细节。墓葬礼俗往往是文化中最保守的部分，南越国墓葬中民族特色混杂的特点，恰恰体现出当时文化融合的涵摄力与深入性。

华风渐被，人文蔚起

赵佗忠实地执行了汉朝“和集百越”的政策，为岭南政治、经济、文化等方面的发展按下快进键。

“华音宫”陶器残片

“和集百越”的深层逻辑是利用百越巩固统治，包括尊重百越地情以夯实统治根基，顺应百越民心以形塑政治认同，发展百越技术以实现国家发展。这意味着“和集”必须以稳固的领导地位为前提，否则便会出现百越权贵“居国中甚重”，“得众心愈于王”的不利局面。赵佗“和集百越”时，尽管自称“蛮夷大长”，却并非要把自己变成当地人，他要建立的是一个在百越地区土地上的中原文化政权，所以他才先是愤懑于吕后的“别异蛮夷”，又被陆贾“反天性，弃冠带”的讽喻之辞所打动。这表明赵佗以“蛮夷大长”自居，更多的是对外故意示弱，对内固结人心的策略。“别异蛮夷”意味着吕后改变了汉高祖怀柔的民族政策，与“和集百越”是两种根本不同的观念，所以才引起赵佗的反对。

经过长期“和集百越”的努力，岭南、岭北地区的社会发展水平趋近，交流渠道日益畅通，这进而使汉武帝平定南越叛乱时，所遇到的阻力远远小于秦朝进军岭南。据《汉书》载，“湘成侯监居翁，以南越桂林监闻汉兵破番禺，谕瓯骆民四十余万降，侯，八百三十户”，如此大规模的招降行动，如果没有前期“和集”的铺垫，势必难以奏功。汉代还继续推行怀柔政策，发展南越时期已经较为繁荣的海外贸易，使南海丝绸之路日益成熟。

“和集百越”一方面反映了赵佗穷通变久的观点，另一方面体现了汉族与南越人民兼收并蓄的胸襟。“和集”之举，有利于中原文化的南向辐射与潜移默化，是岭南文化厚植和合共生的基因。由“和集百越”孕育出的政治和谐、区域繁荣和民族融合局面，改变了南越“窜屏霞苇，与鸟鱼群”的风貌，为岭南文化最终融入多元一体的中华文明奠定坚实基础。

汉武帝平定南越

越素闻伏波名，日暮，不知其兵多少。伏波乃为营，遣使者招降者，赐印，复纵令相招。楼船力攻烧敌，反驱而入伏波营中。犁旦，城中皆降伏波。吕嘉、建德已夜与其属数百人亡入海，以船西去。伏波又因问所得降者贵人，以知吕嘉所之，遣人追之。以其故校尉司马苏弘得建德，封为海常侯；越郎都稽得嘉，封为临蔡侯。……南越已平矣。遂为九郡。

——司马迁《史记》卷一百一十三《南越列传第五十三》

赵佗去世之后，南越迅即衰微。赵胡失策在前，埋下危亡伏笔；吕嘉乱政于后，引起武帝征伐。南越亡国，天下归一，开启了岭南文明新纪元。

南越亡国，始于赵胡

“文帝行玺”金印

赵佗在世之时，通过兵威和财物，使闽越、西瓯、骆越“役属”于己，实现了诸国的“和集”。公元前137年，赵佗辞世，其孙赵胡继位，南越国运丕变。赵胡在处理周边国家关系时，屡次暴露其政治才能的平庸，致使南越亡国。司马迁认为南越亡国，“征自樛（jiū）女”，但如果再向上追溯，赵胡才是亡赵的始作俑者。

赵胡继位不久，即发生“瓯骆相攻”之事，致使“南越动摇”。南越国势的衰落又引起闽越窥伺，触发了公元前135年闽越王郢攻击南越边邑之事。面对闽越的侵扰，赵胡以“两越俱为藩臣，毋得擅兴兵相攻击”为由，挑激汉朝出兵，为其敉平边患。这种自作聪明的举动，留下了严重的后患。

以赵胡的题请为开端，岭南形势发生重大变化，主要体现在三个方面：

第一，南方的区域均衡被打破。赵佗时期对周边诸国采取恩威并施的策略，是为了维持区域秩序的稳定。稳定既是他对汉朝“和集百越，毋为南边患”要求的回应，也可将纠纷控制在区域一级，不给汉朝层面干预制造理由。赵胡显然不具备其祖父的老谋深算。收到他的题请之后，汉朝将计就计，一方面赞扬南越“守职约”，另一方面因势出兵讨伐闽越。汉军东进导致闽越国内恐慌，“兵未逾岭，闽越王弟余善杀郢以降”，汉朝顺势加强了对闽越的控制，并“因兵威”遣使威慑南越。至此，闽越—南越这一区域层面的争端，已经上升到汉朝与地方的层面。赵胡的轻率打破了赵佗苦心经营的均势局面。

第二，南越王子入质成为常态。闽越倒向汉朝，“亦行以惊动南越”，令赵胡压力陡增。为表忠心，赵胡派遣太子婴齐至长安“入宿卫”，并承诺随后将亲自朝觐汉帝。无论是派遣太子还是亲自朝觐，都有沦为人质的风险，一旦国王、太子成为人质，南越的自主地位必将沦没，所以早在赵佗在世时，就强调“事天子期无失礼”，但无论如何也不可听从使者的饰辞令语，亲身入见汉帝，“入见则不得复归，亡国之势也”。即便是质子最终可以回国，但他在汉期间不可避免地会受到各种熏染，进而影响其政治立场和政策倾向，其后的樛太后之事就是明证。在赵胡承诺亲觐之后，大臣诫以赵佗之言，才阻止了他的入见之举。赵胡违背承诺，虽有欺君之嫌，但对汉朝来说，既已有婴齐为质子，也就未再追究。自婴齐开始，南越王子入质成为常态。

公元前122年，赵胡去世，汉廷放婴齐归国即位。婴齐即位不久，汉廷即劝告他入朝觐见。婴齐性情残虐，在南越国内“尚乐擅杀生自恣”，而当时汉武帝已以诸侯或家人不法为理由，削去很多王侯爵位，婴齐“惧入见要用汉法，比内诸侯”，因不法而被夺爵，所以效仿赵胡的做法，“固称病，遂不入见”，又遣其子入宿卫。

第三，汉廷掌握深度干预的工具。婴齐之子赵兴继任国王后，其母樛氏执政。樛氏为中原人，因此她的施政具有明显倾向汉朝的特点。臣服汉朝是南越制御王国内南越人力量的习用策略。在国内局势戡平的前提下，汉朝成为影响南越政权稳定的最大变量，赵佗时期用汉朝“外臣”的“名”，换来“服岭以南，王自治之”的“分”，将南越嵌入汉朝的天下体系中，在各级各方势力之间，赢得了进退裕如的转圜空间，使任何对王位有所企图的人都有了顾虑。但臣服汉朝的同时，也应妥善处理王国内南越人的诉求。樛太后打破了南越素来坚持的平衡政策，令南越人的愤懑情绪日益滋生。

赵胡应对失策而引发的岭南形势变化，导致南越上下尊卑观念的紊乱、南越王国内民族关系的失和、内政外交局面的周折，为其后汉朝出兵埋下伏笔。

汉使南来，吕嘉反叛

公元前113年，汉朝遣安国少季出使南越。同来的还有辩士终军、勇士魏臣，他们充当的是安国少季的参谋与保镖。但汉武帝又命卫尉路博德屯兵桂阳，目的是“待使者”，这就难免令人生疑，也许是汉武帝担心安国少季有亏使命，所以耀兵威压以预置双重保险。安国少季之所以被委以重任，不是因为辩才，而是因为他曾为樛太后的情人。汉武帝希望他能劝服樛氏母子像内诸侯一样前来朝觐。后续史事证明，安国少季不是成功的使者，虽然他通过重燃旧情来说服樛太后本人入朝，但未能当好太后的谋主，没有成功通过她来对赵兴君臣进行继续策动。

不惟如此，安国少季和樛太后私通之事，还被传得“国人颇知”。虽说宫闱秘事具有天然的传播性，但很难断言没有幕后人物在推波助澜，因为安国少季的使者身份和樛太后的身份背景，正是制造舆论攻势的绝佳素材。在当时情势下，除樛太后这位中枢人物外，安国少季几乎没有其他的输出影响的渠道，所以只要能摧毁樛太后的形象，汉朝使者的影响也就中绝了。有能力又有理由在幕后推动的人物，应是南越丞相吕嘉。但这番操作引发了连锁反应，使局面变得更加失控：樛太后形象崩塌，导致南越国人离心。为了稳固权力，樛太后更加倚仗权威，因此在未征得群臣同意的情况下，她请汉使上书汉武帝，“请比内诸侯，三岁一朝，除边关”。弄巧成拙的戏码又一次在南越上演。

汉武帝接到上书后，对南越事务做了条理分明的措置：首先，抓大放小，给南越任官留下充足空间，只赐丞相吕嘉银印和内史、中尉、太傅印，“余得自置”；其次，废除黥、劓等肉刑，“用汉法”，目的是“以新改其俗”；再次，令使者留在南越继续进行宣抚，并敦促赵兴和樛太后整治行装，尽快入朝；最后，汉武帝担心吕嘉不听命令，派遣韩千秋与樛太后之弟樛乐率兵二千，“入越境”以备乱。在汉武帝看来，既然南越已经内属，那么其事务自应参照“内诸侯”标准来安排，但他还是给南越留下了比岭北“内诸侯”更大的自主权。这体现了汉武帝对待南越的问题意识和务实态度。

吕嘉在得知韩千秋将兵入境之后，随即起兵反叛。他布告国中：“国王年少，太后是汉朝之人，与汉使私通，专欲举国内属。为取媚于汉家天子，将先王宝器尽数献出。他们之所以带领大队随从，是为了在长安卖为僮仆。他们这种短视取利的行为，实是置赵氏社稷于水火，根本不考虑王权的延续。”随后杀死赵兴、樛太后和汉使，另立南越女子之子赵建德为王。《史记》言：“吕嘉小忠，令佗无后。”此论堪称精当。尽管史书没有明确记载吕嘉是南越人，但他是当时南越国内南越人集团的代表，是毋庸置疑的。吕氏“居国中甚重”，在社会上层，通过姻亲、任官等途径，完成了与赵氏的深度绑定；在社会下层，通过发动对樛氏的舆论战，“越人信之，多为耳目者，得众心愈于王”。在盘根错节的关系网络里，吕嘉深知只要赵氏权力稳固，吕氏便能攀龙附凤，坐享荣华。这种认识使吕嘉树立了忠于赵氏而非忠于南越的观念。

吕嘉忠于赵氏，只是一家一姓的小忠。身为执掌权柄的人物，他不能只被地方利益蒙蔽双眼，更应当忠于天下大义、百姓福祉和为官操守。由于缺乏大忠的意识，吕嘉难以理解历史的趋势。南越自秦时已是“天下”的构成要件，这也是汉初在“统天下，理中国”的同时，“因立”赵佗为王的内在逻辑。经过七十余年的联系，南越已成为汉朝天下不可分割的部分，这意味着只要中央权威稳固地存在，南越就必然会被越来越紧密地控御。吕嘉只想维持赵氏一时的存在，而置南越的长远存在于不顾，最终导致赵氏的灭亡。

水陆并进，平定南越

吕嘉谋反之后，一方面将汉使符节置于边关并“好为谩辞谢罪”，另一方面发兵防守要害之处，目的是逼迫汉朝接受既成事实。但雄才大略的汉武帝怎会忍辱妥协呢？他马上做出反应：出兵征伐。公元前112年秋，汉武帝军分四路，水陆并进，直指南越：以卫尉路博德为伏波将军，出桂阳，下湟水；以杨仆为楼船将军，出豫章，下横浦；以归义粤侯严为戈船将军，甲为下濑将军，出零陵，进击漓水和苍梧；使驰义侯何遗利用巴、蜀罪人，发夜郎兵，下牂柯江。在战争中发挥实质作用的，是路博德和杨仆两路军队，他们在公元前111年冬到达番禺，采用攻城与攻心结合的方式，大破南越军队。而当南越被平定时，由归义粤侯严、甲和驰义侯何遗率领的两路军队还未到达约定地点。

在番禺城破的前夜，吕嘉、赵建德率领属下数百人遁入海中。路博德通过降人得知了他们的去向，随即派兵追击，司马苏弘俘虏赵建德，粤郎都稽俘虏吕嘉，皆得以封侯。而南越其他地方的侯王，在番禺城破的前后，多数选择归降汉军。苍梧王赵光听闻汉兵到来后随即投降，被封为随桃侯。南越国揭阳令史定投降后为安道侯。将军毕取率部下投降，被封为膫侯。桂林监居翁谕告瓯骆四十余万人投降，被封为湘成侯。伏波将军路博德和楼船将军杨仆，都因功获得封赏。

汉武帝能够迅速平定南越，除了依托强大的国力和遵循正确的战术外，还得益于两方面的有利条件。第一，赵佗“和集百越”的政策，使岭南的政治经济依存度提升，各民族交往交流交融紧密，给岭南人植入了良好的发展愿景，为大规模招降的成功奠定了坚实基础。第二，汉朝从未放弃统一岭南，只不过这种意愿时而表现隐晦，时而表现强烈而已，所以它一直在岭南、岭北之间保持了“犬牙相入”的边界，既使长沙郡的桂阳县（治今广东连州）插入岭南，又使象郡的镡城县（治今湖南靖州西南）越过岭北，通过刻意保持郡界和山界的参差形态，汉朝削弱了南越北部天险的作用，为军事征服提供了很大便利。

平定南越后，汉武帝为渗透影响力，将其境域分割重组，置为十郡。旧有的说法是汉武帝设置了儋耳、珠崖、南海、苍梧、郁林、合浦、交趾、九真、日南九郡，这应是遗漏了象郡的结果。因为在汉武帝置郡的四年后，分天下为十三刺史部，此九郡属交趾刺史部，而象郡被列入益州刺史部。由于十郡并称不足四年，所以无论是时人还是后人，都淡忘了这段历史。汉平南越后，在番禺以西至蜀南设置十七个“初郡”，“以其故俗治，毋赋税”。“初郡”的设置是对秦朝单一郡县制度的反思，延续了南越故地的治理特点，不致产生割裂性的时空巨变，从而推动统一多民族国家的发展。

汉平南越还有利于海内外市场联动机制的形成。南越割据政权消亡使关禁开放和走私锐减，岭南再次被纳入全国性市场中。在汉朝的货殖体系中，岭南之地具有重要地位，番禺是当时的一大都会，“中国往商贾者多取富焉”，其地物产如珠玑、玳瑁、果、布、象、盐、银、铜、能言鸟，举世推重。国内贸易与海外贸易形成联动，中国物产从岭南出海，海外产品亦从岭南登陆，“殊方异物，四面而至”，汉武帝还专门派遣黄门译长前往海外，购买明珠、璧流离和奇石异物。岭南成为汉代全球贸易的重要环节，借由经济脉络的推展，海上丝路的多维意义持续显现，南海变成中国文化的强力辐射地带。

蒜头纹银盒

南越国之亡肇始于赵胡，导火索则是吕嘉的反叛。吕嘉眼中只有地方利益，而无天下大义，他未能顺应天下归一的历史趋势，最终走向主死国亡的境地。汉武帝平定南越后，通过多轨方式巩固了汉朝在岭南的统治，还把岭南文明带进新时期。“铜山西倾，洛钟东应”，南越这一强大地方政权的平定，使“蜀、西南夷皆震，请吏入朝”，也震慑了北方的匈奴势力，影响了当时的整体局势。统一局面使岭南、岭北的联系空前畅通，岭南各民族交融别开生面，中原也吸收南方习俗，汉武帝在长安立粤祝祠、修建章宫即是明证。

合浦港与海上丝绸之路的开辟

自日南障塞，徐闻、合浦船行可五月，有都元国；又船行可四月，有邑卢没国；又船行可二十余日，有谌离国；步行可十余日，有夫甘都卢国。自夫甘都卢国船行可二月余，有黄支国，民俗略与珠厓相类。其州广大，户口多，多异物，自武帝以来皆献见。……自黄支船行可八月，到皮宗；船行可二月，到日南、象林界云。黄支之南，有已程不国，汉之译使自此还矣。

——班固《汉书》卷二十八下《地理志第八下》

汉武帝平南越后，在与世界文明交流互鉴的过程中，持续开拓海上丝绸之路航道，构建海上丝绸之路网络，挖掘海上丝绸之路价值。广西合浦以产珠而闻名于世，它本身又是海上丝绸之路中的一颗明珠。

岭南海路，古已有之

由于记载的滞后性，对在古人视域和想象之外发生的交流，史料往往付之阙如，这是我们在确定海上丝绸之路的年代上限时，遇到的首要困难。但有赖于史牍中的一鳞半爪，参照发掘出的遗迹遗物，可知早在先秦时期，岭南的百越人就开始了航海活动，他们的特型器物如印纹陶器和有段石锛，在南岛语族地区已经广泛出土。经年累月的航海活动，使百越地区的港口、航线和船舶形制慢慢定型。此后统一天下的秦始皇，具有鲜明的海洋视野。尽管他的巡行重点在东方海域，但将同样茫无际涯的南方海域纳入其考虑范围，也在情理之中。只是秦祚短暂，他未能亲至而已。秦始皇统一岭南的活动，激活了内河运输和近海航行的衔接，为岭南港口串联起广大的腹地网络。当时岭南最主要的港口应是南海郡城，为其后南越国的长期雄踞，奠定了区位优势，蓄积了商贸潜力。

赵佗建立南越国后，由于领地“崎岖山海间”，可耕地少，只能因利就便，发展海外贸易以增强国力。南越继承了秦朝的造船技术，继续利用秦朝时期的造船工场，成批制造内河和沿海航运船只。今人曾做航海实验，按照南越船只的规格复原了一艘木帆船，长25米，宽6.5米，排水量达70吨，自广州出发经过3年多航行，最终于1984年10月抵达巴黎塞纳河畔。这次试航的成功，表明南越船只航行至较为近便的东南亚地区，应是可以实现的。汉武帝平定南越时，末代越王赵建德和丞相吕嘉，率领数百人“亡入海，以船西去”，这种装载量意味着当时的船只已有较大体量。船只对南越人之重要，也体现在附葬明器上，目前已在4座南越墓地中发现了木船模型，其中1只被判定为楼船，从而间接印证了文献中关于秦朝楼船的记载。

海中产物，种类众多。南越国海洋贸易之盛，从岭南出土的域外器物中可见一斑。南越王墓西耳室曾出土象牙5支，长度在120—160厘米，这些象牙并非亚洲象所有，而是采自非洲象。南越王墓主棺椁的“足箱”中，出土了形状独特的银盒，与中国器型迥异，具有明显的波斯金银器风格。最精美的是南越王所穿珠襦上的金花泡饰，形状为半圆球形，泡面用金丝、金珠焊接出9组圆形、心形、辫索形等立体图像，焊珠工艺高超，与中原工艺不同。在广西贵港、梧州等地南越墓葬中出土的胡人陶俑，其原型可能是东南亚原始人种。

依据文献和考古材料，我们可以肯定南越国与海外已有相当规模的人员、物产交流。但这种交流的规模究竟有多大，交

南越王墓出土的金花泡饰

流活动究竟是以南越为主抑或是海外为主，当时除番禺外还有哪些居间商港，海外贸易的主导者是官方还是民间商旅，获取珍奇异物是否为商贸的主要目的等，仍是悬而未决的问题。可以确定的是，汉朝平定南越之后，番禺这一贸易重地继续发挥作用。按照常理推测，南越国的海外贸易经验应当为其后的汉朝所吸收，为汉代海上丝绸之路的拓展奠定了良好的基础。

交流互鉴，相向而行

与南越时期海洋交通相比，汉代海上交通的脉络更加清晰。根据班固在《汉书·地理志》中的描述，汉代海上交通网络在空间上已经覆盖交趾刺史部（包括今中国广东、广西、海南，越南中、北部）和东南亚、南亚诸国。在时间上以汉武帝时期为起点，汉朝贸易可以分为前后两段：前段是海外诸国主动前来时期，“自武帝以来皆献见”，贡献方物可能主要是为了获得其他权利，如进行贸易活动；后段是汉朝主动遣员出海时期，汉武帝时期“有译长，属黄门，与应募者俱入海市明珠、璧流离、奇石异物”，使“明珠、文甲、通犀、翠羽之珍盈于后宫”。尽管这种活动主要是为了满足统治者的奢侈品需求，但在客观上增强了汉朝与海外的交流黏度。汉武帝之后，这种类型的贸易仍在持续。王莽辅政汉平帝时，为了制造祥瑞，显耀威德，就通过厚赏黄支国王的方式，引诱他“遣使献生犀牛”。

汉代通过海洋线路，最初输出的是黄金和杂缯（即多种品类的丝织品），这与汉武帝时期“都鄙廪庾皆满，而府库余货财。京师之钱累巨万，贯朽而不可校。太仓之粟陈陈相因，充溢露积于外，至腐败不可食”的国力情况有关。与其让财货腐烂在仓库中，不如用它们来刺激消费和交换，这就使对外贸易不仅变得可能而且十分必要。但随之而来的问题是，汉武帝的海外贸易是以购买奢侈品为主，这样虽能维持消费的繁荣，却不能促进农业生产，普通民众无法享受奢侈品贸易带来的利好，也就无法持续地输出生产和消费能力。在国内经济萎缩的情况下，市场注定无法形成良性的再循环。

随着国力的衰退和交流的深入，汉朝也在不断调适自身的贸易结构。东南亚地区出土了数量丰富的汉朝铜器、铁器、陶器、玻璃器等物品，通过这些遗物可以标记出海上丝绸之路的著名中转点。在目前出土汉朝文物的21处主要地点中，分布最为集中的区域是今越南中部、越南南部和泰国克拉地峡南北近地。今越南中部在汉代时属日南郡，是汉朝船只南下的一个重要出发地，此地的汉式城址、墓葬和文物，展现出的是汉朝在中南半岛的郡县图景。今越南南部为“徼外蛮夷”所占据，没有进入汉朝郡县体系中，其地出土的大量汉朝文物表明这里是重要的船只停泊地和货物中转口。在泰国克拉地峡附近密集出土汉代文物，印证着这里是重要的海陆中转地。

遗物也可帮助我们推断出汉朝海外贸易的生活化转向。东南亚出土的汉朝文物，既有奢侈品也有生活物品。奢侈品的代表是铜镜，在今越南、泰国、柬埔寨、印度尼西亚都有发现。这些铜镜有不少出自当地墓葬，意味着当地人对铜镜的珍视。有的铜镜具有很强的技术和艺术性，在当时应是价格昂贵的奢侈品。生活物品的类别很多，陶器可能是航海过程中储存水粮的容器，铜镞应是航海人员防御入侵者的武器，至于铜容器和铜炊具，从其器型和风格来看，应当是从汉朝转输而来的生活用品。这些文物表明，汉朝对外贸易物品发生了以黄金、杂缯为代表的奢侈品为主，向奢侈品和生活物品兼有的转变。

汉代海上丝路的开拓，不只是汉朝单方面行动的结果。它利用了既有的航道，南越国时期岭南与东南亚的航道应已明确。《汉书·地理志》言汉朝使者出海采买，“蛮夷贾船，转送致之”，这至少说明一直存在一条外国人所熟悉的路线，汉使朝着“转送致之”的反方向行进，并将这条路线理顺。航线的重要中转口与沿岸文明的位置重合，如“日南障塞”所在的越南中部与沙萤文化区域、“徼外蛮夷”生活的越南南部与同奈文化区域重合，这种重合不是偶然的。这一方面表明双方依托既有的文明框架和文化基础进行交流互鉴，另一方面意味着汉朝在考虑了自身影响力的极限后，对若干重要地点的选择性经营与巩固。至东汉时期，大秦商人通过海路来到汉朝，这意味着南亚东西两侧的海洋航道实现连接，汉朝与外国在又一次相向而行中，共同参与了对南方海上丝绸之路的拓展。

合浦港口，丝路重镇

汉武帝平定南越之后，专门在南海郡、苍梧郡、郁林郡、象郡和沧海郡包夹之下，新置合浦郡。从目前的考古成果来看，终两汉时期，其治所一直在合浦县。合浦郡的设置，除了考虑历史时期的政区因革、连山襟海的地理形势、各民族杂居的分布格局之外，其对外贸易地位可能是重要的考量因素。当时合浦郡下辖五县，其中最重要的是治所合浦县和雷州半岛南端的徐闻县。徐闻县居于合浦郡南北二至的中点，同时南扼琼州海峡，利于控御儋耳、朱崖两郡。此地也是汉代海洋贸易的重要港口，根据《汉书·地理志》的记载，当时前往南方的船只，多从合浦、徐闻两县之地发来。

合浦县的综合条件要优于徐闻县。首先，合浦县境域广袤，不仅包括今日的合浦，还囊括今钦州、玉林等地，为合浦港提供了广阔的近缘腹地。合浦县内由大小90余条河流组成的运输网，是被灵渠激活的南方水网的一部分，水运畅达使港口的腹地进一步扩大。其次，合浦港口是天然的深水良港，港域阔大，为大量的船只避风、聚集、停泊提供了优越条件。合浦港湾呈弧状伸展，这段“合浦弧”意味着海岸线绵长，便于船只进行形式灵活的沿岸贸易。合浦县城位于港口北部近处，为陆海贸易提供行政支持。再次，合浦县是各民族杂居之地，史书中有关岭北人物“徙合浦”的记载不胜枚举，以至于汉墓数量多达上万处，其地还居住着为数众多的南越人和当地少数民族群众，不同人群用其或特有或共通的生计方式，共同构建层次丰富、门类多样的经济结构。人地耦合程度较高，区域开发相对成熟，是合浦县成为贸易集散重地的内因。

观察合浦在海上丝绸之路中的地位，不能将它与周边区域割裂开来。合浦港出口的货物中，来自岭北和西南地区的物品可能占了很大比例，如果缺乏健全的货品体系支撑，合浦港的吸引力势必大大降低。合浦是汉代海运的起点，但不意味着它是陆运的终点，通往东南亚的陆上道路与海上丝路是同时存在的，交趾陆道、缅甸道都可到达合浦，所以合浦其实是兼具陆海之利的交通枢纽，了解这点会帮助我们认识合浦的多重意义。合浦港与徐闻港的关系应相当密切，由于洋流的原因，即便是始发于徐闻县的船只，也要先到达合浦县海域再渐次西行，在此过程中可能会进行货物装卸和交易，可以推测合浦港口的级别是较高的。合浦郡西南的交趾郡在汉代是人口凑集之地，位置冲要，其地物产与合浦重合度高，所以交趾经济之兴衰会直接影响合浦港的地位。

合浦的遗迹遗物为我们透视海上丝绸之路影响打开视窗。品类繁多的出土文物，在汉代不只具备贸易货物的属性，它们还是海上丝绸之路价值的物质载体。物品的运输路线，反映着人们的世界视野。不少文物具有明显的域外特色，有的甚至是从西亚、地中海地区过来的，蕴含着当时人们向外探索的欲望。合浦出土的与西方有翼神兽关系密切的羽人铜座灯，形象生动活泼的胡人俑，受帕提亚—巴克特里亚文化影响的叠涩穹隆顶墓室，都体现出元素杂糅的特征。这都可以视为当时人们包容胸怀和开放心态的体现。精美繁复的金银饰物中，则隐藏着时人对生活美

广西合浦寮尾墓出土的东汉胡人俑陶灯座

学的不懈追求。这些都表明海上丝绸之路具有地理、文化的双重空间内涵。

从宏观层面观察，虽然与对东南亚的经济影响相比，南海贸易对整个汉朝的影响算不得举足轻重，但对合浦这个微观地域来说，海外贸易是决定其兴衰的重要因素。以合浦为中心抓手，岭南地区的贸易系统健全化，区域开发成熟化，民族融合深入化，并向汉朝其他区域传递影响。经过这种次第传导，整个汉朝通过岭南进入世界体系中，与北方丝绸之路一起，形塑着时人的世界观念和文化视野。合浦既是汉朝走向海洋的合浦，也是世界贸易网络中的合浦。从合浦出发的汉朝史，内蕴着具体而微又恢宏的文明意义。

海上丝绸之路起源甚早，至汉代时期已经较为成熟。作为汉朝对外交通体系的一部分，海上丝绸之路将原本孤立分布的文明区域连成网络，在与世界文明的交流互鉴中，持续改变着行经之处的经济结构、人文地景和文化风貌。丝路文明是先辈留给后世的卓越遗产，在历史与现代的相遇中，不断迸发出与时俱进、日新又新的价值。海上丝绸之路的历史昭示着中国文明的世界性，丝绸之路的空间变化则体现出世界联系的历史性，在时空变化中去挖掘、理解、阐释丝绸之路的内涵，今后仍将是一个重要的课题。

陈钦、陈元：岭南儒学的燃灯者

陈元字长孙，苍梧广信人也。父钦，习《左氏春秋》，事黎阳贾护，与刘歆同时而别自名家。王莽从钦受《左氏》学，以钦为厌难将军。元少传父业，为之训诂，锐精覃思，至不与乡里通。以父任为郎。建武初，元与桓谭、杜林、郑兴俱为学者所宗。

——范晔《后汉书》卷三十六《陈元传》

陈钦（？—公元前15年）为苍梧郡广信县（今广西梧州）人，他与其子陈元都是西汉著名的古文经学家。父子二人，皆精研《左氏春秋》，古文经学造诣深厚。二人言足为师，行足为范，点亮一盏“无尽灯”。自二陈始，岭南学术风气渐开，终至于“冥者皆明，明终无尽”。

经今古文，长期相争

秦始皇推行书同文、挟书律等文化统一政策后，儒家经典或藏于宫中，或遭毁弃，或遗民间。西汉建立后，在秦火劫灰之中，依靠伏生等老儒的记忆，用汉代文字复写出儒家经传，今文经学的文本体系由是建立。老儒记忆难免舛倒衍漏，其可靠性逊于传世文献，这就为古文经学的生长留下空间。古文经学以重新发现的先秦文献为基础，对今文经学的文本体系、解经方法、师法脉络都提出了质疑，因而引起今古文经学之争。今古文经学之争，始于西汉哀帝建平元年（公元前6年）。当时刘歆请立《春秋左氏传》《毛诗》《逸礼》《古文尚书》博士，却遭到今文经学家们的无视，于是他发布了言辞激切的《移让太常博士书》。此书的发布引发众怒，导致刘歆因“惧诛”而出京避难。此次的今古文经学之争具有浓重的利禄色彩，刘歆之所以仓皇出京，与触碰了当时政治家族的利益直接相关。

今古文经学之争，除了本身的学术歧异和门户之见外，背后还隐藏着政治风气的变化，是皇权与政治家族矛盾的体现。在汉武帝时期“罢黜百家，表章六经”之后，以今文经学为基础的儒术大行其道。儒术与儒学不同，“学者术之体，术者学之用”，学贵探索，术主实行。太常博士是中央认定的解经代表，儒者从博士学习后，任职于中央和郡国的各级部门，以至于如果诸侯王罗致其他诸家士人，就可能会被认为怀有异心。依托于对儒家经典的解释，西汉后期出现了垄断意识形态的政治家族。这些家族标榜师法，壁垒森严，门徒之间称举援引，占据要津，势力盘根错节，已经构成对皇权的干扰。皇帝希望以今古文经学之争为抓手，对朝野力量进行均衡调配。这是汉代今古文经学之争的深层原因。

今文经学长期处于独尊地位，立为博士者多达十四家，未立为博士者不胜枚举，导致家法羁绊，师说束缚，引来古文经学家“党同门，妒道真”的批判。在解经之时，今文经学家分文析字，烦言碎辞，动辄数万字，班固批评道“幼童而守一艺，白首而后能言；安其所习，毁所不见，终以自蔽。此学者之大患也”。至西汉后期，今文经学已陷入烦琐自证的怪圈，为经学而经学，自然难餍足统治者之胃口。但我们也不能因此全盘否定今文经学，今古文经学各有优劣：今文经学注重解经者的能动性，具有鲜明的进取精神，但有时流于任意发挥，陷入空疏妖妄；古文经学注重训诂考据，但往往沉溺于寻章摘句，甚至抉瑕擿（tī）衅，陷入程式化的机械劳作。

汉代今古文经学之争的思想史意义，在于它提出了中华优秀传统文化的一个真命题。今文经学认为六经是不可改易的圣人之言，注重阐发孔子的微言大义；古文经学则认为六经成于孔子之前，应历史性地看待文献的作用与性质。二者的分别其实凸显了“作”和“述”两种智慧成就：前贤和孔子在中华元典体系中的地位不同，先秦时期在古人智慧的共同作用下，六经得以形成，这凸显的是“作”的开创意义；孔子绍继前贤，虽“述而不作”，却灌注了澎湃的时代精神和维新能量，具有不朽的立教之功。“作”固然可以开辟新境，“述”也有守先待后的功能，它们在中华文化的不同层次之间相互作用，用复杂而隐微的方式共同影响历史，这种意义有赖于今古文经学之争而揭明。

精研《左氏》，为道捐身

自汉武帝平定南越后，苍梧就成为岭南的水运中枢，风会所至，人杰地灵。陈钦从学于黎阳贾护，精研《左氏春秋》，“与刘歆同时而别自名家”。刘歆是西汉自董仲舒之后建立经学“统壹”秩序的关键人物，他以《易》为整体统摄，实现了天人古今、经学流派的再度整合。刘歆的学问涵括五经，陈钦则是在《左氏春秋》一门和刘歆并称。与刘歆贯通天人、遍晓群经的气象不同，陈钦的学问以潜研专精见长，单论《左氏春秋》的经学造诣，他已臻于当时的一流境界。陈钦将对《左氏春秋》的阐释，汇为《陈氏春秋》一书，以至于东汉有“陈钦传《左氏》，远在苍梧”之说。以经学呼应中原风潮，以经义影响当世人物，陈钦对岭南人文风气实有开先之作用。

其后陈钦前往京师。也许因为他与刘歆同气相求，而刘歆与王莽有互相利用的关系，所以陈钦得到了摄政重臣王莽的推崇。王莽跟随陈钦学习《左氏春秋》，陈钦也就顺理成章地被纳入王莽阵营，获封奉德侯。公元9年，王莽建立新朝，次年因为北征匈奴的需要，任命陈钦为“厌难将军”。“厌”通

广西梧州骑楼城里的陈钦、陈元雕塑

“压”，“厌难”意指压服北方边境之难。从这个名号上，不难看出王莽对陈钦寄寓的武功期望。但没有材料证明陈钦是优秀的将才，他主要奉行驻守职能，屯于云中郡葛邪塞（今内蒙古托克托）。陈钦之所以接受任命，除了君命不得不从外，可能还与他对《春秋》“尊王攘夷”大义的领会有关。

陈钦在驻守期间尽忠职守。公元11年，匈奴单于派遣其弟咸出使汉朝，咸主动表示臣服，并留其子助和登在常安（即长安）为人质。咸回国后，匈奴仍时常犯境，于是陈钦在公元12年，上书建议处死人质登，王莽从其言。从《春秋》经义来看，人质本是讲信修睦的凭证，如果言而无信，那么人质也就失去意义，这应是陈钦建议杀登的主要原因，也体现出陈钦通经致用的书生本色。登之死引起了匈奴的激烈攻扰。公元14年，新朝北境发生饥荒，王莽被迫与匈奴议和，并将陈钦等人免职调回。公元15年，王莽将杀登的责任推到陈钦头上，陈钦下狱之后，省悟到王莽“是欲以我为说于匈奴”，于是愤然自杀。

在陈钦自杀八年之后，刘歆亦自杀而亡。两位古文经学大师，都乘王莽之运而起，又因被王莽抛弃而终，这固然与王莽本身的城府深沉、师心自用有关，但也应看到两人命运线索背后的经学因素。王莽推崇古文经学，本意并非为发扬学术，而是为了同以今文经学为标榜的政治家族进行博弈。当他成功篡权之后，经学是古文还是今文都不再重要，因为它们都要为统治服务。从具有实质作用的工具，到只具有装饰意义的符号，再到新、匈斗争的牺牲品，陈钦为官的一生，实是为理想步步献身的过程。

陈钦的《陈氏春秋》已经亡佚，但许慎的《五经异义》保存了其中的一段疏文：“《左传》哀公十四年西狩获麟疏云：‘说《左氏》者云：麟生于火而游于土，孔子作《春秋》，《春秋》者，礼也，修火德以致其子，故麟来，而为孔子瑞也。’陈钦说：‘麟，西方毛虫，金精也。孔子作《春秋》，有立言，西方兑为口，故麟来。’”“修火德以致其子”是五德终始说的解释套路，五德终始说以五行相生相胜来看待历史演变，其实质是推理假说和政治模拟，而非对真实历史样态的描摹。陈钦将麒麟视为“金精”，虽然也遵循五行的解释体系，但他又强调“立言”这种人的能动作用，比纯粹的侈谈五行更能令人信服。所以，东汉大儒郑玄说：“修母致子不如立言之说密也。”可见陈钦有其独特的经学趣味，他对当时刻意宣扬的谶纬风气有所反思，体现出朴素淳实的人文色彩。

论战数番，发扬道统

陈钦经学造诣精深，影响后人，《左氏春秋》成为苍梧陈氏的世守之经。陈钦之子陈元（生卒年不详）自年少时，便继承了其父的学问风格，致力于经学训诂，日日息交绝游，沉浸在对经义的琢磨之中。陈钦自杀之后，陈元凭借任子制度，出仕为议郎。至东汉光武帝建武初年，陈元已经名满天下，与桓谭、杜林、郑兴诸大儒俱为当世学者所尊崇。

在陈元生活的时代，古文经学继续被今文经学压制。东汉光武帝建武四年（公元28年），韩歆疏请立《左氏春秋》和《费氏易》博士，刘秀在云台组织讨论，并命今文经学家、《梁丘易》博士范升回应韩歆的论点，双方各执己见，往来攻诘，莫衷一是。会后，陈元上书反驳范升，他的主张可归为三点：左丘明之学系亲受于孔子，《公羊》《穀梁》二传系后世所出；《左氏》学问之所以不能彰显，是因为没有被立为学官；汉武帝好《公羊》，汉宣帝好《穀梁》，“先帝后帝各有所立”，不必始终强尊一经。这些观点具有鲜明的维新性，准确击中了今文经学的软肋，引爆了双方多达十数轮的论战。在论战中，陈元议论精辟，切中肯綮，最终促使刘秀议立《左传》博士四人，群臣推举宜立者，陈元名列四人之首。

不幸的是，陈元在论战中展现出来的“忿争”姿态，引起了刘秀的厌恶，于是他将博士之位给予名列第二的李封。不久之后李封去世，《左传》博士随之撤销。史书中没有记载陈元对此项安排的反应，也许他认为一切的沉浮际会都是“天命”，而“天命”是《春秋》中一个贯穿始终的议题。作为汉代第二次今古文经学之争中古文经学阵营的大将，通过此番论辩，陈元的经义功力广为人知。虽然他没有被立为博士，但其学术地位得到了巩固，以至于陈寿在《三国志》中将他与贾逵等人并举：“益部多贵今文而不崇章句，（尹）默知其不博，乃远游荆州，从司马德操、宋仲子等受古学。皆通诸经史，又专精于《左氏春秋》，自刘歆条例，郑众、贾逵父子、陈元、服虔注说，咸略诵述，不复按本。”

此次论争之后，陈元被司空宋宏辟为掾属。宋宏得罪后，陈元不惧牵连，上书为他讼冤，“言甚切直”。其后，李通继任司空，延辟陈元为南阁祭酒。大司农江冯上书议设司隶校尉以监察三公，陈元又上书驳斥：“臣听说过，以臣为师的称帝，以臣为上宾的称霸，所以周武王以姜太公为师，齐桓公以管夷吾为仲父。孔子则认为百官总己听于冢宰。近来有高祖优待相国的礼仪，太宗将大权授予宰辅。汉朝中衰，王莽得以专操国柄，偷窥天下，他独断专行，不信群臣，剥夺公辅的权力，损害宰相的威信，把刺举作为明察，把攻击别人之短作为耿直，以至于陪仆叛变告发其君长，子弟出卖其父兄，法网严峻，大臣手足无措。”其言语可看作《春秋》崇礼重信观念的展露。

李通免官之后，陈元又任职于司徒欧阳歙府中，屡次上书言“当世便事，郊庙之礼”，光武帝皆不听用。公元39年，欧阳歙下狱死后，陈元又冒死上奏，请求给予应有的抚恤，汉光武帝才赐棺和财帛安葬。其后陈元告病回到故乡苍梧，最终在家中去世。陈元的一生，屡次忠直抗辩，言事不谀时颂圣，为文不率尔操觚（gū），展现出士人应有的风骨。他反对范升和江冯的两篇文章，皆录于《后汉书》，是目前所见由岭南人士撰写的最早的政论文章。他去世之后，其子陈坚卿继续研究《左氏春秋》，忠实地守护了陈氏家族乃至整个苍梧的文脉。

陈钦和陈元是岭南经学的早期代表，他们的经历与成就表明汉代南北文化交流较为频繁，岭南华风浸润逐渐深入，岭南学术能量正在蓄积。后世岭南文化的进取、刚韧、务实等特质，在陈氏父子的言行中皆有端倪，因此屈大均称他们为“粤人文之大宗”，又称陈元为“岭南之儒宗”，确非过誉。“一灯能除千年暗”，陈氏父子以经义为立身准则，真正地做到了慎思笃行，道德高标，引领岭南学术走出鸿蒙时代。

伏波将军马援的南征

又交趾女子征侧及女弟征贰反，攻没其郡，九真、日南、合浦蛮夷皆应之，寇略岭外六十余城，侧自立为王。于是玺书拜援伏波将军，以扶乐侯刘隆为副，督楼船军段志等南击交趾。军至合浦而志病卒，诏援并将其兵。遂缘海而进，随山刊道千余里。十八年春，军至浪泊上，与贼战，破之，斩首数千级，降者万余人。援追征侧等至禁溪，数败之，贼遂散走。明年正月，斩征侧、征贰，传首洛阳。封援为新息侯，食邑三千户。

——范晔《后汉书》卷二十四《马援传》

东汉初期，交趾变乱，马援临危受命，挥师南下。经广西到达交趾后，他以刚柔并济、标本兼治之策，迅速平定叛乱，为巩固汉朝南疆、开发岭表地区、教化边地民众、促进民族交融做出重要贡献，至今仍受到广泛崇祀。

二征起兵，交趾变乱

南越虽是以直接管辖区的名义存在于地方政区序列之中，实则与内地相比，中央与当地豪族共治的色彩相当浓厚。在郡县时期开始之前，红河区域的人内部就有了分层的权力形态，《交州外域记》所载的雒王、雒侯和雒将，可能是百越人统治阶层的记忆遗留。赵佗将郡县体制推布至交趾地区，对红河区域的百越人虽然建置郡县，但仍然“因故俗治”，没有破坏原有的雒王—雒侯体系。

公元前111年南越国灭亡后，汉朝继续经理其地，汉代在交趾继续实行与民休息、南向移民和海洋贸易的政策，使其地人口迅速增长。以汉平帝元始二年（公元2年）为断限，当时都城所在的京兆尹为682468人，而此年交趾郡人口为746237人，比京兆尹还要多6万多人。人口增长和经济发展，为其后的移风易俗奠定了基础。东汉初年的锡光“教其耕稼，制为冠履，初设媒聘，始知姻聚，建立学校，导之礼义”，东汉建武初年的任延则“令铸作田器，教之垦辟。田畴岁岁开广，百姓充给”，并将中原礼法灌注于交趾的婚嫁旧俗之中。

尽管两汉对交趾的治理颇见成效，但交趾地区的政治结构并未彻底改变，雒王、雒侯等豪酋与底层民众关系紧密，而与汉族人比较疏远。与普通交趾人相比，他们对郡县力量保有更敏感的警惕性，这种警惕性通常表现为对直接管辖体系的疏离，在特殊时空下更会激化成军事对抗行为，建武十六年（公元40年）征侧、征贰的起兵即是如此。二征起兵的肇因是征侧的丈夫诗索“性甚雄勇，所为不法”，于是“交趾太守苏定以法绳之，侧忿，故反”。二征起兵之后，九真、日南、合浦诸郡民众响应。

临危受命，率军南征

在二征起兵初期，一方面由于交趾刺史和诸郡太守尚能自守，另一方面由于汉光武帝刘秀正在忙于戡平皖城（今安徽潜山）的李广之乱，因此对二征军队保持了必要的战略克制，除了“诏长沙、合浦、交趾具车船，修道桥，通障溪，储粮谷”外，并未直接出兵镇压。直到二征“寇略岭外六十余城”，征侧自立为王之后，事情的性质才发生变化。如果说前一阶段的二征起兵是民变，至此已经演化为裂土割据，这自然不能为汉廷所容忍。于是在公元41年，光武帝“玺书”拜马援（公元前14—49年）为伏波将军，令其率军南征。“玺书”即以皇帝玉玺加封的文书，

马援像

递送速度可达“昼夜千里”。这种传书方式体现了当时事态的严峻与光武帝的重视。

马援接到“玺书”时，刚平定李广之乱，从皖城南下，一路持节调动“长沙、桂阳、零陵、苍梧兵万余人”，长沙、桂阳、零陵三郡时属荆州刺史部，苍梧郡时属交州刺史部，可见马援是经由湖北、湖南进入广西的。进入广西的具体路线应是由荆州刺史部零陵郡沿灵渠进入漓水，再循漓水而下到达苍梧郡荔浦县。进入广西后，汉军一路东南行至苍梧郡治所在地广信县，从广信县出发南行，溯北流江后经鬼门关，再沿南流江至合浦郡合浦县。之所以进军合浦，原因应有二：一是当时合浦郡响应二征乱军，需要先行平定以免后患；二是合浦为汉代海上丝绸之路的重要港口，便于利用既有路线南击交趾。军至合浦县后，楼船将军段志去世，马援一并率其军沿着海岸向西南行进，行军时还在山岭间开辟道路，最终在公元42年春到达浪泊（今越南河内西湖）。

马援军队在浪泊面临着严峻形势。由于长途行军，兵士已十分疲惫，浪泊一带“下潦上雾，毒气重蒸，仰视飞鸢跕跕堕水中”的气候也在考验汉军的意志。但在马援的操盘指挥之下，兵士最终大破二征军队，“斩首数千级，降者万余人”，征侧南逃至禁溪，部众星散。公元43年春，马援斩征侧、征贰，传首级至都城洛阳。为奖掖功勋，光武帝封马援为新息侯，食邑三千户。在“峤南悉平”之后，马援并未立刻还朝，而是在交趾驻军近两年，直至公元44年秋才“振旅还京师”。

在军争与驻留期间，马援进行了系统的建设：首先，将西于县拆分为封溪、望海二县，以削弱雒将根本之地的力量；其次，为郡县修治城郭，增强防御力度；再次，修建水利设施，以利于当地人休养生息；最后，与当地人申明旧有的汉朝法规以便约束。此后，“骆越奉行马将军故事”。可见马援并非单纯的军事将领，他是一位具有卓越战略视野和多种才能的帅才。二征被平定和汉朝法规的推行，推动红河河谷区域的豪酋转化为与朝廷关系更密切的地方豪族，从而巩固了东汉的南部边疆，促进了交趾刺史部的民族融合。

马援还加强了东汉南方与北方的交流。他在平定二征之后，一方面在极南之地留下部分兵士看守铜柱，“悉姓马，自婚姻……号曰马流，言语饮食尚与华同”；另一方面，以移民为手段弱化当地人的力量，“徙其渠帅三百余口于零陵”。马援还是相马圣手，在交趾时得到骆越铜鼓后，“乃铸为马式”，高三尺五寸，围四尺五寸，回朝后献给汉光武帝。汉光武帝欣然接受，“诏置于宣德殿下，以为名马式焉”。此外，马援还将能克制瘴气的薏苡引进中原地区，实现了汉朝南北地区的物质文化交流。

尽管马援剿平二征，戡平乱局，功勋卓著，但他展现了谦虚的品格。班师洛阳之后，他的朋友前来接风洗尘，满座尽是溢美之词。马援冷静回应："旧日伏波将军路博德灭南越国，开置岭南七郡，才食邑数百户；现在我的功劳不如他，食邑却如大县等第，这是功薄而赏厚，怎么能持久呢？"进而又言："现今匈奴、乌桓正在侵扰北部边境，我准备主动请兵反击。男儿当死于边野，以马革裹尸还葬。"这体现了马援笃实与节烈并具的性格特征。

伏波祭祀，广受尊奉

历代对历史人物的祭祀，多出于四种原因："法施于民则祀之，以死勤事则祀之，以劳安国则祀之，能捍大患则祀之。"马援则是兼四而有之。在"法施于民"方面，他安定地方秩序，有利于百姓根本生计的恢复；在"以死勤事"方面，马援于公元48年以六旬高龄攻五溪蛮，次年病死于军中，实现了"以马革裹尸还葬"的夙愿；在"以劳安国"方面，马援功勋卓异，但不愿安卧于功劳簿上，而是屡次或自请或受命出征，绥靖地方；在"能捍大患"方面，马援定陇西、平岭南、击乌桓，无论是对东汉中心区还是边缘区的经略，都发挥了不可替

广西横州伏波庙

代的作用。四者之外，马援还有多重贡献和崇高人格，这使他被百姓赋予神性，受到后世的广泛崇祀，从而在中国南方形成了伏波祭祀圈。

伏波祭祀圈主要覆盖湖南、广西、广东、海南等地。祭祀圈有物质文化圈和精神文化圈两个维度。物质文化圈由以伏波庙为中心的神文景观构建而成，唐代桂州全义县（今广西兴安）已建有伏波庙，著名诗人李商隐曾撰《祭全义县伏波神文》以颂其功德。宋代的伏波神在灵渠、郁江乌蛮滩设庙较多，庇佑水路安全的功能显露无遗。伏波神不断被附加封号，成为一位被民众寄予多重愿望的神明。明天顺年间（公元1457—1464年），靖江王曾在桂林修建伏波庙。至清代，广西成为伏波庙数量最多、分布最为密集的区域，主要集中于桂北、桂东和桂东南地区。精神文化圈则以马援传说的流布范围为表征。广西境内的马援传说集中分布于龙州、横州、钦州和防城港地区，《伏波遇难》《伏波退敌》《伏波神佑》《祭马援求雨》等是传说中的代表。传说不是独立存在的，而是以伏波庙为物质依凭，呈现出从神圣空间向世俗空间波状扩展的传播路径。

伏波祭祀在广西如此盛行，究其原因，是人们认为伏波神除了能维护交通安全，还可以拱卫边防、降妖除魔，保佑风调雨顺、生计顺遂、健康无虞等，这意味伏波神的角色更加立体与多元，融入广西百姓的日用需求之中。所以，古人评论伏波神“其泽之被岭西独深，岭西之专祀固宜”。在众多的伏波祭祀点中，尤以乌蛮滩伏波庙香火最盛。清代“凡上下滩者必问侯，侯许乃敢放舟”，现今广西横州则有每年一度的“伏波庙会”，每值会期，香客、游人可达数万。

伏波将军马援一生履迹多方，对安定南方边疆秩序、促进中原文明南渐、丰富南北文化交流有突出贡献。后世因其功绩与人格而顶礼赞叹，最终在物质和精神两个层面形成了伏波祭祀圈。伏波祭祀圈具有穿透时空的生命力，自唐至今，延绵不绝，因时生义。

孟尝：合浦珠还颂高洁

（孟）尝后策孝廉，举茂才，拜徐令。州郡表其能，迁合浦太守。郡不产谷实，而海出珠宝，与交趾比境，常通商贩，贸籴粮食。先时宰守并多贪秽，诡人采求，不知纪极，珠遂渐徙于交趾郡界。于是行旅不至，人物无资，贫者饿死于道。尝到官，革易前敝，求民病利。曾未逾岁，去珠复还，百姓皆反其业，商货流通，称为神明。

——范晔《后汉书》卷七十六《孟尝传》

合浦太守孟尝（生卒年不详），出身于东汉会稽郡上虞县（今属浙江），廉明清介，深得百姓爱戴。合浦郡盛产珍珠，因官吏贪赃，采求无度，珠渐竭尽。孟尝到任后革除旧弊，珍珠生产得以恢复，百姓安居乐业。他卸任后，以耕佣为生。汉桓帝时屡被举荐，终不被任用。

少有操行，经术治事

孟尝自曾祖至其父皆为郡吏，且都因节义之事而死。在此种醇儒门风的熏染下，孟尝年少时即以节操自守，砥砺行迹，成年后出任会稽郡户曹史。户曹史为郡衙之佐吏，助户曹掾掌民户、礼俗、祠祀、农桑等事。东汉会稽郡辖十四城，以顺帝永和五年（公元140年）为断限，共有123090户、481196人。如此大郡，庶务必然繁剧，但孟尝奉法循理，恪尽职守，尽力造福当地民众。

孟尝像

当时上虞县有一寡妇，事其婆母至孝。当其婆母去世后，她却受到小姑的诬告，被指控毒杀婆母。郡守不加细察，竟然听信诬告，定孝妇为死罪。孟尝素来在户曹任职，知悉民情关节，于是将实情告知太守，却未被采信。孟尝不甘良民蒙冤，哀泣于郡衙门外，请求重审案件，然而终无结果，于是在心灰意冷之下，告病辞官。孝妇冤死之后，会稽郡连旱两年，无论如何祈祷赛请，均无补于事。新任太守殷丹到任后，孟尝又亲自登门，详述孝妇冤死之原委，提出“宜戮讼者，以谢冤魂”，方可迎来转机。殷丹最终采纳其建议，随后天降甘霖。

从为孝妇洗冤之事中，可知孟尝为官之特征：不为表象所惑，洞察谜案幽微，是其有超世之智计；不惧上官厌弃，两度为孝妇请命，是其有唯实之品格；身为白丁却仍坚持为冤案奔走，是其有保民之仁心；指明问题且能有效解决，是其有笃行之政风。至于杀诬告者以息天怒，是汉代春秋决狱、经术治事的通行之法，虽有时代局限性，但体现了他对官德伦理的把握和对忠孝治国观念的践行。

合浦珠还，廉风润泽

经过洗冤一事后，孟尝对宦海重拾信心。他先中孝廉，后举茂才，被拜为徐县县令。在县令任上，他兴利除弊，被州郡视为“能吏”，表举为合浦郡太守。当时合浦郡属交州刺史部管辖，人口不足10万人，对有大郡任职经验的孟尝来说，合浦政务难称冗杂，他却在此地遇到了特殊难题。

合浦郡与交趾郡海陆夹界，境内“不产谷实而海出珠宝”，于是郡人以珠易粮，赖以为生，既能充实朝廷府库，也可补益民间生计。但这种懋（mào）迁有无之举，是以采挖有度为前提的。“福兮祸所伏”，由于南珠珍异，常充贡品，“掌握之内，价盈兼金”，前代太守多难敌诱惑，于是巧立名目，无度开采。这种行为引发了三种恶果：首先，育珠环境受到根本损害，南珠产量与质量均显著下降；其次，朝廷珠税严重衰减，丧失了重要的利源，影响地方行政开支；再次，海民无法获得足量珍珠，商旅缺乏贸易动力，交趾米粮不至，导致民间饥荒。

孟尝到任之时，合浦正处于“人物无资，贫者饿死于道”的惨局中，他必须尽快找到合理的纾解之法。史书未载他是如何找到问题症结的，推想之下大概有三种途径：第一，走访士绅耆老，采集一手信息；第二，到合浦海域实地调查，发现迷思之下的事情真相；第三，利用既往经验和见识，进行总结、分类与判断。最终他发现，破除危局的关键在于复兴珠业，只要实现珠业可持续生产，其他难题自会迎刃而解。

那么如何实现珍珠的可持续生产呢？史书对孟尝的做法并未详载，只说“革易前敝，求民病利”，“前敝”即无度开采。作为一名“循吏”，孟尝自是牢记孟子之言：“数罟不入洿池，鱼鳖不可胜食也；斧斤以时入山林，材木不可胜用也。”因此，他可能在厘定珍珠等次、制定采珠限额、划定采珠范围、戡平盗采匪徒等方面下功夫，以实现珠渊的生态修复。不难看出，孟尝治策的背后是“仁民爱物”的广阔胸襟、“舍我其谁”的责任意识和“为子孙计”的长期主义思维在起作用。在施策后的一年之内，“去珠复还”，合浦的珍珠生产再度繁荣。依托于这个核心产业，合浦百姓各得其所，珠粮贸易重新兴盛，饥荒问题得以解决，廉政的政治与社会效应充分彰显。

作为珠业复兴的功臣和合浦主政官员，孟尝具备以珠谋利的条件。正所谓“廉者不为非其有”，他以廉洁而自守，以贪渎为大戒，守住了任官的底线，时人给予他“安仁弘义，耽乐道德，清行出俗，能干绝觡（yú）”的美誉。孟尝品行清介，官格高洁，成为教化易俗的典范。后来孟尝以病去官，合浦吏民拦车阻行，他不得不乘夜遁走。回到故乡会稽后，他“隐处穷泽，身自耕佣”，但由于廉名远播，邻县民众自发迁移至其隐居之处，数量多达百余家。

廊庙之宝，弃于沟渠

孟尝隐居之后，同郡尚书杨乔七次上书汉桓帝，希望朝廷征辟他再度出仕。杨乔先是褒扬孟尝之功绩：“前更守宰，移风改政，去珠复还，饥民蒙活。”又显扬其美德：“南海多珍，财产易积，掌握之内，价盈兼金，而尝单身谢病，躬耕垄次，匿景藏采，不扬华藻。”再阐明其价值：“实羽翮（hé）之美用，非徒腹背之毛也。而沉沦草莽，好爵莫及，廊庙之宝，弃于沟渠。”但汉桓帝始终未采纳其建议，孟尝终老家中，去世时年七十岁。

《后汉书》将孟尝列入《循吏列传》。“循吏”一词是对古代官员品格和才能的高度褒奖，相较于“酷吏”的令人畏缩不安，“循吏”往往令人如坐春风。班固认为“循吏”应当具备以下特点：“谁毁谁誉，誉其有试。泯泯群黎，化成良吏。淑人君子，时同功异。没世遗爱，民有余思。”“循吏”的政绩目标可以归纳为“富民教化，政平讼理”八字，要达到这种目标，要做到以下四点。首先，必须注重生态环境保护，以为

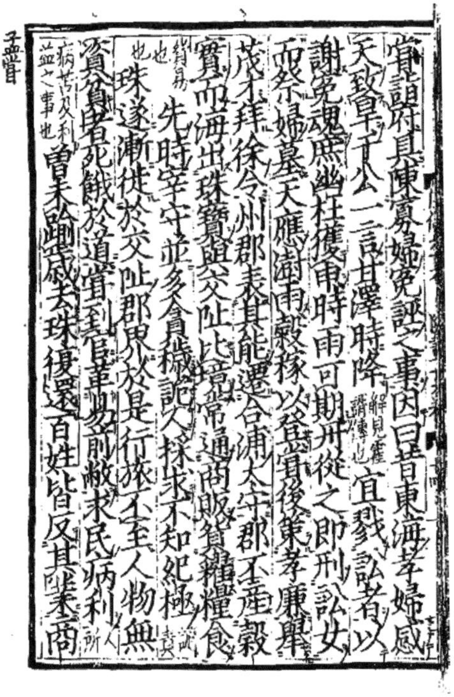
嘗詣府具陳寡婦冤誣之事因曰昔東海孝婦感
天致旱于公一言甘澤時降解見霍諝傳也宜戮訟者以
謝冤魂庶幽枉獲申時雨可期府從之即刑訟女
而祭婦墓天應澍雨穀稼以登嘗後策孝廉舉
茂才拜徐令州郡表其能遷合浦太守郡不產穀
實而海出珠寶與交阯比境常通商販貿糴糧食
先時宰守並多貪穢詭人採求不知紀極
珠遂漸徙於交阯郡界於是行旅不至人物無
資貧者死餓於道嘗到官革易前敝求民病利
病苦及利益之事也曾未踰歲去珠復還百姓皆反其業商

《后汉书》中关于孟尝的记载

“富民”奠定自然基础。其次，要在行政管理者的角色之外，兼做人文教化者，如此才能从根本上改良社会生态。再次，在施政过程中，既要遵循自上而下的制度要求，也要根据地情适时总结地方经验，达成原则性与灵活性的统一。最后，主动维护良好的政治生态，以务实理性的态度应对复杂的情况，将百姓诉求放在心上，平等对待百姓。

唐代王勃在其《滕王阁序》曾慨叹：“孟尝高洁，空余报国之情。”我们不禁要问，为何孟尝身为出色的“循吏”，在官造福，去官民思，却得不到进一步的重用呢？推其原因，当与汉桓帝在位期间的政治氛围有关。汉桓帝即位之后，先是由世号“跋扈将军”的外戚梁冀专权，公元159年梁冀被杀后，大

广西合浦孟尝园中的“合浦珠还”雕塑

权又落入宦官手中。宦官在皇帝庇护下，结伙营私，党同伐异，导致大批士人被迫害，引发了著名的“党锢之祸”。政治混乱导致官吏经世信心的普遍丧失，为东汉的灭亡埋下伏笔。诸葛亮曾批评此时之政治：“亲小人，远贤臣，此后汉所以倾颓也。先帝在时，每与臣论此事，未尝不叹息痛恨于桓、灵也。”也许正是因为此时政治黑暗，孟尝不愿阿附权贵，屈节曲从，所以才难获主政者的重用。民间感念恩德而庙堂弃如敝屣，这种鲜明对比，显示出当时主政者已走向民意的反面。

孟尝尚德，教化当时，润泽后世。唐代专门改合浦为“廉州”，以追忆孟尝的廉绩。清人屈大均则评价：“廉似孟尝谁不羡，瑞溪今亦有珠胎。”然而由于政风黑暗，孟尝仅在合浦一任之后，就再未被拔擢起用。一代“循吏”，沉沦草莽，未能将清廉风气施于更大的舞台，令人扼腕叹息。

士燮：在乱世中缔造桃源

（士）燮体器宽厚，谦虚下士，中国士人往依避难者以百数。耽玩春秋，为之注解。陈国袁徽与尚书令荀彧书曰："交趾士府君既学问优博，又达于从政，处大乱之中，保全一郡，二十余年疆场无事，民不失业，羁旅之徒，皆蒙其庆，虽窦融保河西，曷以加之？官事小阕，辄玩习书传，《春秋左氏传》尤简练精微，吾数以咨问传中诸疑，皆有师说，意思甚密。又《尚书》兼通古今，大义详备。闻京师古今之学，是非忿争，今欲条《左氏》《尚书》长义上之。"其见称如此。

——陈寿《三国志》卷四十九《士燮传》

士燮（xiè）（公元137—226年），字威彦，苍梧郡广信县（今广西梧州）人。其远祖本居于鲁国汶阳（今山东泰安西南）。在汉末三国的诸侯中，士燮是十分独特的一位。他学问优长，达于从政，明义识时，优游终世。在朝不保夕的乱世中，他却能主政四十余年而不倒，将交趾变成一处“世外桃源”。

因缘际会，主政交趾

西汉末年，由于王莽先以外戚掌权，后篡皇权，为在乱局中自存，士氏先祖携家南下，避地于苍梧。当时苍梧、南海、

士燮像

交趾、合浦、郁林、九真、日南七郡，皆归交趾刺史部管辖。经过历代先辈的经营，士家的影响逐渐越出苍梧，向交趾刺史部所辖其他郡县延伸。汉桓帝时，士燮之父士赐出任日南太守，日南在当时已屡为林邑所侵夺，处于风雨飘摇之中，士赐能得此任，应与其家族地位和个人才具有关。日南太守秩两千石，已是高级官员，具备让其子当官的“任子”资格，当时的风气重视门第，这也为士燮在洛阳的交游提供了有利条件。自此时开始，士氏家族的命运曲线骤然上扬。

士燮年少时就游学于洛阳，师事颍川人刘陶。刘陶为汉室宗亲，以博闻极谏闻名当世。刘陶的交游特点是“所与交友，必也同志”，士燮能成为他的学生，至少可以说明两人同气相求。士燮跟随刘陶治《左氏春秋》，之所以学习此经，除因它是刘陶的专守外，还应得益于苍梧的地缘。苍梧素来是《左氏春秋》的研究重镇，两汉之际的陈钦、陈元父子就已借此蜚声中原。师事刘陶也为士燮构建个人关系网络提供了便利，刘陶历仕顺阳长、侍御史、尚书令、京兆尹、谏议大夫，为汉帝所倚重。其后士燮主政交趾时，前来投奔的中原士人以百数，其中一部分应是在此时结识的。在士燮往来活动的同时，其弟士壹也在拓展关系网。这表明士家对当时的政治生态有清醒的认知，并做出了明确的分工与安排。

士燮从学于刘陶后，先察孝廉，再补尚书郎，后因公事免官。在服完士赐之丧后，又举茂才，任巫县县令，其后升任交趾太守。交趾是当时岭南人口最多的郡级政区，也是控制南部九真、日南二郡的枢纽，士燮担任交趾太守，实为控制三郡积蓄了能量。建安初期，岭南形势陷入动荡，交州刺史朱符“侵虐百姓，强赋于民”，导致“百姓怨叛，山贼并出，攻州突郡”，朱符逃入海中而死。当时交州还未设置州牧，刺史就是最高长官，朱符之死使交州七郡人心惶惶，士燮趁机向汉廷上表，推举其弟士壹领合浦太守，弟士䵋（wěi）由徐闻县令升任九真太守，弟士武领南海太守。

此时的交州七郡，受士氏控制的有四个。如果不算名存实亡的日南郡，由汉廷委任控制的只剩下苍梧、郁林二郡。由此，士氏家族在岭南的力量跃升至新的高度。据《三国志》记载，当时士燮兄弟各为郡守，雄长一州，同气连枝，援引为势，他们执掌之地偏在南方万里之遥，士氏受当地民众尊崇。每逢出入，除了陈演朝廷赐予的钟磬以宣示威仪外，还令人吹奏笳、箫等乐器，以契合地情民望。扈从车骑满道，常安排数十名胡僧，围绕车骑烧香礼颂。士氏妻妾乘辎軿（píng），子弟从兵骑，声势浩荡。士氏主政时期，“当时贵重，震服百蛮”，即便是当年的南越王赵佗，也相形逊色。但月盈则亏，盛极必衰，此时岭北风云变幻，士氏难免被裹挟其中，其家族的衰败因子，也已在极盛时埋下。

多方转圜，纵横捭阖

士燮控制四郡之后，却未能更上一层楼，升迁为州一级的长官。东汉建安八年（公元203年），接替朱符担任交州刺史的，是得到汉廷信任的张津，这显然不是士燮想要的结果。但他很快调整策略，与张津结成同盟，这突出表现在他与张津共同上表，请改刺史为州牧一事上。州牧集将军的军事权、使持节的军事监察权、刺史的行政监察权于一身，威势无上。尽管当时有的州刺史也总揽军政大权，但交趾刺史部显非如此。在时人看来，“交州绝域，南带江海，上恩不宣，下义壅隔”，如果长官大权在握，很难保证他没有割据的心思，所以朝廷一直维持刺史建制，通过官秩来约束刺史的僚属配置，防止其尾大不掉，这应该是汉顺帝时交趾太守周敞改州未能成功的原因。通过改刺史为州牧，可以借助中央敕封的名分，扩充僚属队伍，完善组织结构，为进一步坐大开辟空间。由于信任张津，汉廷在接到上书后，就顺势拜他为交州牧。

士燮的行为必有巩固自身地位的考虑。保守地说，表请改刺史为州牧，即便未能成功，也向汉廷表明了忠贞之心，向张津表示了合作诚意。如果成功帮助张津立为州牧，士燮可以继续维持固有权力，甚至有望借此获得汉廷赏识，在张津之后掌控交州。但士燮并未如愿以偿。不久之后，张津被部将区景所杀，又恰逢苍梧太守史璜去世，处于近水楼台位置的刘表，先遣赖恭接替张津为交州刺史，又遣吴巨接替史璜为苍梧太守。其后汉廷收到张津去世的消息后，将刘表斥为“逆贼”，但一时之间又无合适的人可派，于是以士燮为“绥南中郎将，董督七郡，领交趾太守如故”。绥南中郎将只是加衔，在当时的情况下，士燮董督七郡，却只能实领交趾太守，这体现出汉廷的忧虑：既想利用士燮阻止刘表并吞，又要防止士燮独大难制。士燮虽未能实现继任交州牧的意图，却也获得了汉廷的认可，在一定程度上提升了自身的威权。

其后士燮在“天下丧乱，道路断绝”的情况下，仍然派遣张旻奉贡至京都，汉廷拜他为安远将军，封龙度亭侯。士燮此举一方面固然体现出他对中央的忠心，另一方面可能意味着他没有放弃掌控交州的想法，因为此前已有刘表因不废职贡而升为州牧的先例。在这段时间中，岭北局势已经发生巨变。建安十三年（公元208年），赤壁之战爆发，战后天下三分局面定型，刘表势力灰飞烟灭，曹操伸向岭南的触手也被斩断。在这个契机下，苍梧太守吴巨依仗与刘备的交好关系，将交州刺史赖恭逼走，导致交州刺史再度空缺。这种失序局面进而引来孙吴的窥测。站在中原看交州，七郡确实处于边缘地带，但如果置换角度，站在交州看北方，则岭北尽是进取之地。控制交州不但能直接扩张境域，还能实现对益州和荆州的全线牵制。这种视角在老练的孙吴君臣心中，怕是早就温习了无数遍。

建安十五年（公元210年），孙权遣步骘（zhì）为交州刺史。之所以不表举步骘为交州牧，可能是因为建安十四年（公元209年）孙权刚担任徐州牧，自然不能容忍部下与自己平起平坐。步骘任交州刺史后，用计除掉吴巨，控制苍梧郡。为了摆脱与苍梧太守同城而被压制的局面，同年他又将刺史驻地从苍梧郡广信迁到南海郡番禺，并在此地大力经营，为之后的交广分治奠定基础。南海郡本是士燮家族的势力范围，此时被孙吴控制。形势逼人，士燮只能选择“相率供命”，服从孙权的命令。在弱化士氏家族的力量后，孙吴还占据了士家未曾控制的郁林郡，并派陆绩前来担任太守，留下了“廉石”压舱的佳话。因此，至迟在建安十八年（公元213年），孙吴已在形式上完成了对整个交州的占据。此时士燮已七十七岁，其家族在孙吴冲击下，已无法再续辉煌。

建安十八年（公元213年），曹操“复《禹贡》之九州”，废除交州，将其属郡拆分并入荆州和益州，其中荆州得苍梧、南海、九真、交趾、日南，益州得郁林、合浦。曹操的安排可谓用心良苦，此时孙吴已经占据交州，却要出让部分属郡给益州。分划之后，由于郁林、合浦归益州管辖，荆州管辖的岭南五郡被拦腰截断，并不相连。这直接导致了孙吴控制岭南的计划被扰乱。直到公元219年孙权成为荆州牧后，才有机会再次理顺控制岭南的脉络。在孙权用兵戡平高凉、郁林、九真等地的乱局，加强了对荆州地域的控制之后，处于岭南却不属孙吴的郡县，就只剩被划归益州的郁林、合浦两处。建安二十五年（公元220年）正月，曹操去世，同年十月曹丕称帝，废止九州制，改回至此前的十四州，交州才得以再度出现。孙权在向曹丕称臣后，获准使持节督交州，孙权趁此机会重新控制了郁林和合浦。至迟在公元222年，孙吴已在实质上控制交州，这从当年孙权对曹丕的上书中可以推知：“若罪在难除，必不见置，当奉还土地民人，乞寄命交州，以终余年。”孙吴掌握交州的实际控制权，意味着士氏家族的倾覆即将来临。

作为老练的政治家，士燮早已嗅到危险的气息，并尽力向孙吴示好。公元220年，士燮遣其子入质，人质是信义的抵押品，士燮此举向孙权做出臣服保证。他又诱导益州豪强雍闿等，率郡百姓归附孙吴。士燮还每年向孙吴进献重礼，《三国志》载：“燮每遣使诣权，致杂香细葛，辄以千数，明珠、大贝、流离、翡翠、玳瑁、犀、象之珍，奇物异果，蕉、邪、龙眼之属，无岁不至。”这颇有春秋时越王勾践面对吴王夫差时“厚献遗之”的意味。也许是因为孙吴需要利用士燮家族的影响，外加士燮年事已高，所以孙吴一直没有对士氏用兵。直到吴黄武五年（公元226年），士燮以九十高龄辞世后，孙权才以交广分治为契机，迅速出兵攻打士家。士氏族众或死于计谋，或坐法诛，或废为庶人，“柯叶自摧折，根株浮沧海”，把控岭南近半个世纪的士家，就此烟消云散。

身处乱世，立身有方

身处朝不保夕的乱世，士燮却能屹立四十余年而不倒，他所凭借的究竟是什么呢？不外有四：关系、谋略、宗兵和文化。

士燮的关系网络错综复杂，其父士赐留下了交州关系网络，其老师刘陶助其理顺京师关系网络，其后他又因“体器宽厚，谦虚下士”，而吸引了数以百计的中原士人前往交趾避难。这些人包括刘熙、刘巴、薛综、袁徽等名士，其后形势缓和，他们回到家乡或投靠其他诸侯时，也就把士燮的关系网铺设到了当地。士燮还特别善于洞烛幽微，在常人见识之外发现和创造机会，他通过帮助张津、不废贡职获得汉廷和曹操的嘉奖，通过配合步骘获得孙权的信任，皆是此点的生动说明。

士燮是一位老谋深算的政治家。他深刻明白名分秩序的重要，所以不管内心多么渴求高位，却从未提出非分诉求，越是遭遇挫折，越是恭敬有加。屈大均曾做出假设：“中原丧乱，

广西苍梧“汉士威彦先生故里”清代石刻

孙权、刘表皆窥南土，燮于此时，以甲兵之力，循赵佗之迹，西连蜀汉，庶几比美桓文哉。”如果士燮决意起兵割据，其成功概率应当不低，但他选择了服从中央号令，以保境安民为先务，这意味着他恪守君臣之分，克服了称王做霸的诱惑。士燮深刻理解“挟天子以令诸侯”的战略奥妙，所以在刘表近在咫尺的侵逼之下，仍然选择亲近远隔天涯的曹操，以期利用名实参差的情况达成自己的愿望。他始终坚持和而不同的主张，不主动攻击其他势力，对待其他少数民族政权，采取了类似赵佗的“和集”政策，所以才会收到“震服百蛮”的佳效。士燮对各民族人心的收拢，使他处于民望所归、仁者无敌的道德地位，无论是听命于曹操还是孙权，这都是士氏家族不可替代的政治优势。“得民心者得天下”，在公元213年孙吴已视交州为禁脔的情况下，还能容忍士氏的存在达十余年之久，这应当是一个重要考量。

士燮家族有一支核心的军事力量——宗兵。宗兵即宗部之兵，胡三省注《资治通鉴》言：“自汉末之乱，南方之人率宗党相聚为兵以自卫。”在乱世之中，宗族乡党是最为可靠的力量，于是地方豪族相率集结族众，以图自保，这种组织在北方称为“坞壁”，在南方称为“宗部”。士燮依靠宗兵对治下郡县进行统治，起到了保境安民的作用。在士氏衰落之时，士燮之子士徽又利用宗兵抵御外敌，史载士徽自署为交趾太守后，曾“发宗兵”抗拒新任刺史戴良。在当时的交趾，不只是士氏这种顶层家族有宗兵，其部属也有自己的宗兵，如桓邻被士徽杀死后，其兄长桓治、侄子桓发就“合宗兵击徽”。不同层级宗兵的敌对，使孙吴得以乘虚而入，灭亡士氏。真可谓成也宗兵，败也宗兵。

如果说关系网络会变化，政治谋略会失效，宗兵会被更强大的对手压制，那么作为软实力的文化，是士燮深固根本，实现长治久安的重要工具。汉代在岭南的影响范围集中在“两河流域”。“两河”即珠江与红河，珠江下游为南海郡，红河下游为交趾郡，“南海、交趾，各一都会也”，都是中央在政治上控制岭南，在经济上发展海洋贸易，在文化上多民族融合的重要基地。两河之间的沿海地区是中央经制权力的影响范围，沿海北部的山地则是俚僚部落的生聚之地。士燮兄弟控制的南海、合浦、交趾、九真四郡，在地理空间上正与中央经制权力的影响范围重合，这也表明士燮在境域开拓和控制渗透方面，用力不多。他的贡献是将地理、政治空间转化为文化空间，为岭南尤其是交趾地区注入中原文化的因子与活力。

在发扬文化方面，士燮具有天然的优势。他本人善治《春秋》《尚书》，却不拘泥于今古文经学之分派，是会通大义的达用之辈。名士袁徽曾向曹操的谋士荀彧说：“士燮学问优博，又达于从政。”他将学问优博置于政治能力之前，可谓窥见士燮保境安民的根本用心。“柔远能迩，莫善于信；保大定功，莫善于义”，无论是真诚推布，还是当作缘饰，信义都必不可少。信义是《春秋》言政的精髓，士燮精研《春秋》之学，自是深通此中奥妙。当大批中原名士南下避难后，士燮为他们提供了优渥的居住环境，组织翻译中原经传，“取中夏经传翻译音义，教本国人，始知习学之业”，使交趾由蛮障之地变为教化之地。

除了弘扬儒风华韵之外，士燮还深谙以宗教驭民之道。他支持牟子、康僧会等佛教人士在交趾传教，并修建法云、法雨、法雷、法电四座寺庙。士氏家族每次出入巡行，都有胡人僧侣跟随焚香祝祷，这体现出士燮对当地人信仰习俗的尊重，同时也是他和而不同的施政观念的体现。士燮对道教也持宽容态度，与他结好的交州牧张津就是道教的拥趸（dǔn），《牟子理惑论》中所记的“北方异人”，应即来自中原的道教传播者。道教人士曾炮制士燮死而复生的传说，《神仙传》曰：“燮尝病死，已三日，仙人董奉以一丸药与服，以水含之，捧其头摇消之。食顷，即开目动手，颜色渐复，半日能起坐，四日复能语，遂复常。”这侧面说明士燮对道教抱有信任态度。

正是凭借关系、谋略、宗兵、文化四宝，士燮才能在乱世之中，保全交趾达四十余年之久。在此期间，“民不失业，羁旅之徒，皆蒙其庆”。

交趾在士燮治理之下，成为万物蕃息、民族交融、众方协和之地。士燮不但为岭南民生筹谋福祉，还为中原文化南传贡献心力，其成就彪炳于当时，有功于百代。士燮其人其事，即便在今时今日，仍是一宗可资取法的宝藏，值得今人反复推阐发微。

牟子：中国著书弘佛第一人

（士）燮兄弟并为列郡，雄长一州，偏在万里，威尊无上。出入鸣钟磬，备具威仪，笳箫鼓吹，车骑满道，胡人夹毂焚烧香者常有数十。

——陈寿《三国志》卷四十九《士燮传》

牟子是苍梧郡（今广西梧州）人，生卒年不详，根据史料的吉光片羽，可以推断他主要活动于东汉灵帝至献帝时期（公元168—220年）。牟子博学多识，精研三家，而后著书立说，理惑弘佛。他以佛法为统摄，以会通为主旨，进行了佛教本土化的有益实践。

佛教学说，传入交州

佛教约在西汉哀帝时传入中国，博士弟子景卢从西域大月氏人处，得到口述的浮屠经。至东汉初期，楚王英泛信众教，既崇黄老又祀浮屠。汉明帝还曾因夜梦神人，于是遣使往天竺求佛法。东汉后期桓帝在位时，曾在宫中建立浮屠祠。尽管当时重精神修炼的早期禅学和重抽象思辨的般若学都已显露雏形，但由于两汉意识形态以经学为尊，佛教主要还是被视为众多方术之一派，其影响较为有限。至东汉末年，经学的统治地位不复存在，其时政风黑暗与民生维艰，也为佛教的扩张奠定了现实基础。佛教学说本身就有多元面貌，既有精细的唯心理论以迎合上层士人的趣味，又有轮回果报之类的世俗教义以满足普通民众的需求，因而在乱世之中得以发展。

交州地区是汉末三国时期佛教传播的重地。牟子曾言："吾昔在京师，入东观，游太学，视俊士之所规，听儒林之所论，未闻修佛道以为贵，自损容以为上也。"与京师相比，交

越南北宁省出土的莲花纹瓦当

州的社会风气是相对开放的，对佛教的接纳度高于北方。部分主政者对佛教持宽容态度，孙策曾言“昔南阳张津为交州刺史，舍前圣典训，废汉家法律，尝著绛帕头，鼓琴烧香，读邪俗道书，云以助化”。士燮出行时，“胡人夹毂焚烧香者常有数十”。对此，胡适先生认为：“这些夹毂烧香的胡人，即是牟子所见的‘剃头发被赤布’，‘耽好酒浆，或畜妻子，取贱卖贵，专行诈绐’的‘沙门’也。”这些“沙门”应该包括西方僧人、波斯贾人及中国出家者。

由于交趾是当时海上丝绸之路的重镇，胡人僧侣北上传教是丝路文化的重要组成，商人前来贸易时也自会带来自己的信仰。在紧邻汉朝日南郡的“徼外蛮夷”中，佛教早已流传开来，“其王者着法服，加璎珞，如佛像之饰。出则乘象，吹螺击鼓，罩古贝伞，以古贝为幡旗”，“死者焚之中野，谓之火葬”。佛教信仰应当早在士燮主政交趾之前，就已在民间传播，越南北宁陇溪出土的约为2世纪的莲花纹瓦当可为一证。正是基于这种情势，士燮出游时才安排僧侣随行，通过佛教礼仪来展示对当地信仰的尊重，以此固结民心。

士燮长期担任交趾太守，他不仅要处理与儒士阶层的关系，而且必须妥善处理交趾与南方、统治阶层与普通民众、中原风尚与当地习俗的关系。在佛教已在交趾浸润的情况下，他最好的方法是顺势利用，而非熟视无睹甚或改弦更张。他曾建立法云寺等多座寺庙，这些寺庙不是纯粹的神圣空间，它们还肩负着优化士燮形象，为民众提供教外福祉等任务，这就使士燮身上带有浓烈的佛教味道。士燮的包容为他赢得了“体器宽厚”的声名，这也是牟子选择避居于交州的重要原因。

南来北归，理惑弘佛

牟子在少年时就熟读群书，无论是儒家经传还是诸子之学，都在他的涉猎范围内。当时政局已乱，民众在困苦处境中寻求慰藉，于是兵法和修道之类的书籍流行天下，他虽对这些学说兴趣阙如，但也耐心寻读。尤其是在读过修道之书后，他“抑而不信，以为虚诞”，为其后与道教的论战埋下种子。牟子年少时对各家学问的博学广纳，精勤自励，是他与各家交流、交锋乃至撰写《牟子理惑论》的基础。

公元189年，汉灵帝去世，“天下扰乱，独交州差安”。当时士燮担任交趾太守，在四海扰攘之中保境安民，将其辖区变成中原士人向往的福地。士燮出身苍梧广信，与牟子有乡缘关系，于是牟子奉母南下，避居于交趾。当时避居于交州的，除了佛徒之外，还有儒士和道家人物，士燮虽是专治《左氏春秋》的名儒，但对诸家思想持尊重态度，所以交州就成为百家争鸣的自由之地。当时交趾盛行道家所传的“神仙辟谷长生之术”，牟子本就反感此种学说，这时见到它竟有盖过儒家之势，于是认为必须予以反正。他经常用儒家五经的学说进行驳斥，致使“道家术士莫敢对焉”，后人认为牟子弘儒的行为，可与“孟轲距杨朱、墨翟”相媲美，可知此时的牟子还是儒家的卫道士。

广西梧州骑楼城里的牟子塑像

牟子二十六岁时，回到故乡苍梧娶妻成家。时任苍梧太守的史璜听闻他的名声，请他担任署吏，但牟子认为身处乱世，应当以学术自守，于是称病推辞。太守又欲派遣他出使北邻的荆州，向州牧刘表致意修好，牟子出于“荣爵易让，使命难辞”的考虑，答应前往。此时发生了一件意想不到的事情，治于苍梧的交州刺史朱符也想请他出仕，这就将他置于困境中：如果他答应了朱符，就会引来先前被拒绝的史璜的不满；如果他继续替史璜出使荆州，又可能使朱符颜面扫地。两难之下，牟子只好再次称病，出使荆州也未能成行。公元195年，朱符之弟、豫章太守朱皓被笮（zé）融杀死，于是朱符派骑都尉刘彦为其弟报仇。军队要经过荆州零陵、桂阳二郡，由于担心行进受阻，朱符需要一位足智多谋、口才了得之人，沿途打通关节，于是再次请牟子出山。牟子感念其知遇之恩，正欲出发，恰逢其母亲去世，只能取消行程。

数年之后，朱符因为贪墨而被驱逐，死于海上，交州陷入动荡之中。在这种形势下，牟子一方面回想前尘往事，他虽才智过人却屡失机缘，大概是富贵自有运数，他注定不适合名利场；另一方面世道浇漓，应以修身保真为要，只有达到“万物不干其志，天下不易其乐，天子不得臣，诸侯不得友”的境界，才能获得真正的自由。于是他埋首潜研佛教学说，兼及道家经典《老子》和儒家五经，开始了三家会同之路。牟子进行这种尝试有其便利条件，他早前在交趾避难时，士燮尊重各家的风范，应已在其心中留下烙印，接任朱符担任交州刺史的张津，本是儒士出身，但又信仰道家和佛教。士燮和张津实有理念相投之处，这可能是后来他们共同上表请立交州牧的重要原因。作为岭南名宦，张津和士燮的行为对境内文风有导引作用，牟子应当也受到影响。

但苍梧毕竟是经学荟萃之地，早在西汉末年就孕育出古文经学大师陈钦，东汉初年，陈钦之子陈元更是名噪天下。至东汉末年，经学地位早已不复当年，但在积年沉淀之下，当地的儒学堡垒十分牢固。牟子本以精通儒学而名世，现在却“背五经而向异道”，在苍梧这个儒学基地进行弘佛活动，这不免令人想起孔子“攻乎异端，斯害也已”的训诲。在群儒的讥讽批判之下，牟子没有像在交趾时那样对面争辩，因为这种行为与佛家的空无、道家的恬淡均有冲突。但他深知众口铄金之理，所以决定著书立说来回应争议。他的著述成果就是著名的《牟子理惑论》。

融会诸家，何以可行

《牟子理惑论》之书名经历了演变过程。牟子在撰述时当然不可能自封为“子”，根据前人的考察，此书本名《治惑》，唐人因避高宗李治讳而改“治”为“理”，《治惑》遂成《理惑》。宋元时又于书名中加一“论”字而称《理惑论》，又因是作者为牟子，故多称之为《牟子理惑论》。

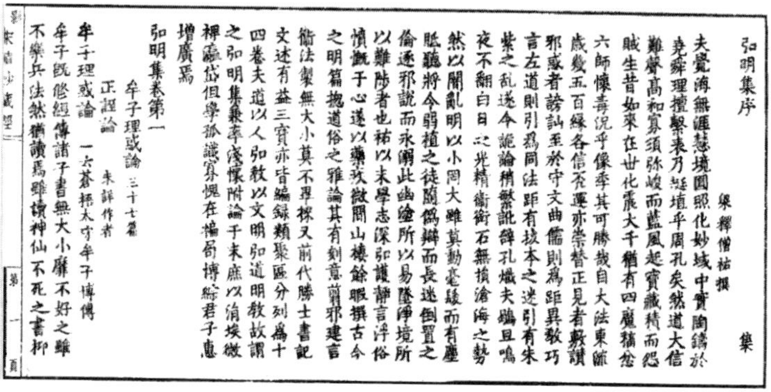
弘明集序
梁釋僧祐撰　集
夫覺海無涯慧境圓照化妙域中實陶鑄於
堯舜理擅繫表乃疑埴乎周孔矣然道大信
難聲高和寡須彌峻而藍風起寶藏積而怨
賊生昔如來在世化震大千猶有四魔揣忿
六師懷毒況乎像季其可勝哉自大法東漸
歲幾五百緣各信否運亦崇替正見者敷讚
邪惑者謗訕至於守文曲儒則爲距異敎巧
言左道則引爲同法距有拔本之迷引有朱
紫之亂遂令詭論稍繁訛辭孔熾夫鵠且鳴
夜不翻白日之光精衛銜石無損滄海之勢
然以闇亂明以小罔大雖莫動毫髮而有塵
眩聽將令弱植之徒隨僞辯而長迷倒置之
倫逐邪說而永溺此幽塗所以易墜淨境所
以難陟者也祐以末學志深弘護靜言浮俗
憤慨于心遂以藥疚微閒山棲餘暇撰古今
之明篇揔道俗之雅論其有刻意翦邪建言
衛法製無大小莫不畢採又前代勝士書記
文述有益三寶亦皆編錄類聚區分列爲十
四卷夫道以人弘教以文明弘道明教故謂
之弘明集兼率淺懷附論于末庶以涓埃微
神嵩岱但學孤識寡愧在褊局博綜君子惠
增廣焉
弘明集卷第一
牟子理惑論 三十七篇
正誣論 未詳作者
牟子理惑論 一云蒼梧太守牟子博傳
牟子既修經傳諸子書無大小靡不好之雖
不樂兵法然猶讀焉雖讀神仙不死之書抑
影宋磧砂藏經
第一頁

《弘明集》书影，该书收录了《牟子理惑论》

该书采取问答形式，提问者被预设为儒生，回答者是牟子自己。牟子在回应问题时，不直接解释概念，也不使用重言命题，而是在人们熟知的思想体系之内，用通俗易懂的方式进行解说。如在被问到什么是“佛”的问题时，他不是直接解释“佛”这个词的内涵，也不使用“佛就是佛”这种无效的重复表述，而是以儒、道二家术语和表达逻辑进行回应：“佛者谥号也，犹名三皇神五帝圣也。佛乃道德之元祖，神明之宗绪，佛之言觉也。恍惚变化，分身散体，或存或亡。能小能大，能圆能方。能老能少，能隐能彰，蹈火不烧，履刃不伤；在污不染，在祸无殃。欲行则飞，坐则扬光。故号为佛也。”

解纷释疑，廓清迷惑，做好佛教本土化的理论建设，在能引领风尚的人群中奠定传法基础，是牟子著书立说的重要目的。

虽然牟子在苍梧进行弘佛活动，但其视野是覆盖整个天下的。儒、释、道三家的精华，都是中华优秀传统文化的组成部分，在当时的情势下，融会百家是儒、释、道的共同要求，区别只是以何者为统摄的问题。牟子进行的是在当时中国已有本土学派、宗教的情况下，以佛学为统摄，会通儒、道学说的最初尝试。

牟子的著作为我们提供了对话的范本，对以本土式姿态出现，便于中国人心灵体味，吸收中国思维的佛教的出现贡献极大。如当被问到尧、舜、周、孔是否不足法时，牟子指出佛与老子以无为志，尧、舜、周、孔修世事，“其道为贵，在乎所用”，因此不需要抛弃儒家之道。当被问到为何之前学尧、舜、周、孔之道，现在却转学夷狄之佛教时，牟子认为所谓夷狄、华夏之别，是“未解大道时之余语”，华夏与夷狄之间“金玉不相伤，隋璧不相妨”，佛教与儒学并行不悖。这种融会诸家的气度，对后世佛教的传播有重要启示。晋朝的慧远就明确地提出“儒佛合明”“百家同致”的口号，他曾言：“道法之与名教，如来之与尧、孔，发致虽殊，潜相影响，出处诚异，终期则同。”

牟子对佛教教义的解释，具有明显的圆融特点，其背后是“和而不同”的观念在起作用。通过融会三家的方式，他较为成功地实现了不同信仰之间的和平对话，促进了佛教与中国风土的结合，为其后的佛教本土化开辟了道路。牟子的会通实践给后世三个启示：第一，解决一个问题必须有解决所有问题的前置觉悟，牟子就是在广研众家学说的基础上，才能专门理惑弘佛的；第二，“问道当于太玄中”，文本只是一扇门，不能陷溺其中，对教义进行理解时，要将对世界的普遍思考、对生命的深沉体悟和对万物的根本关怀灌注其中；第三，不同信仰之间绝非你死我活的关系，各教不能固执己见甚至执杖相攻，而应以兼容并包的理念对待分歧。在中外文明交流互鉴的过程中，我们应当重视牟子的历史实践与高明洞见。

吴国的交广分治

交趾太守士燮卒，权以燮子徽为安远将军，领九真太守，以校尉陈时代燮。岱表分海南三郡为交州，以将军戴良为刺史，海东四郡为广州，岱自为刺史。遣良与时南入，而徽不承命，举兵戍海口以拒良等。岱于是上疏请讨徽罪，督兵三千人晨夜浮海。

——陈寿《三国志》卷六十《吕岱传》

自士燮去世至吴国灭亡期间，吴主曾在岭南两次调整区划，最终促成了交州和广州的并立。交广分治是顺应时势的产物，对后世岭南政治地理产生重大影响。

多年谋划，棋落终子

吴国黄武五年（公元226年），交趾太守士燮去世。孙权随即任命士燮之子士徽为安远将军，领九真太守。九真郡位于交趾郡的南部，其人口、物产和经济水平，与交趾郡相比逊色不少。更重要的是，交趾郡是士燮苦心经营之地，自汉灵帝中平四年（公元187年）至孙吴黄武五年（公元226年），他多数时间都担任太守之职，凭借超人的智计、老练的谋略与谦恭的风范，他成功和集百蛮，固结人心，将交趾变成士氏家族的根本重地。尽管士家的势力范围最大时，曾东到合浦、南海，南至九真，但交趾始终是其权力格局的核心地带，其他三郡处于交趾的外缘，对它起到保护作用。所以，当孙权委任士徽为九真太守时，其用意再明显不过：他想把士氏从根本之地中拔除，为吴国经制力量的灌注腾出空间。

孙吴对士氏势力范围的削夺，经历了一个长期的过程。早在建安十五年（公元210年），步骘就占领南海郡，并将交州刺史驻地迁往番禺，剥除了士家的一个外缘屏障。同时孙权任命薛综为合浦、交趾太守，不过此次任命可能只是短暂

唐代阎立本《历代帝王像》中的吴主孙权像

的虚封。或是虑及士燮在此盘踞数十年，根基深厚，如果直接吞没，将引起难以预料的麻烦，故孙吴在完成半包之势后，就承认了士家的代理人地位。自此，士燮兄弟“相率供命”，主动进入吴国的统治圈层之中，使岭南成为其“宾服”地带。士燮对自身的服属地位认知清楚，除了每年向吴国进贡重礼外，还遣子为质，策划了蜀国豪族雍闿的投吴行动。但这些行为只能暂时延长士家的族运，在非对称关系中，士氏的恭谨奉命恰好是孙吴渗透的方便法门，这导致一个难解的困局：

士氏族运越是绵长，就被孙吴控制越深，当自主空间被挤压干净，其覆亡之日也将来临。

公元220年，步骘卸任交州刺史，带领“交州义士万人”进攻岭北。当时交州诸郡兵力多不过五千，少则只有千余，“义士万人”的规模，应当是抽取各地兵力的结果，其中少不了士燮的动员和物资支持。步骘击败刘备后，“零、桂诸郡犹相惊扰，处处阻兵，骘周旋征讨，皆平之”，这就切断了士氏联结外援的可能，缩紧了对士氏的围合。步骘走后，吕岱接替出任交州刺史。他接受合浦郡高凉县钱博的归降请求，以步骘时期的羁縻政策进行治理，以钱博为高凉西部都尉，并奏请将高凉县升格为郡，以分化士氏所在合浦郡的力量。同时他相继讨平郁林、桂阳等地的叛乱，稳定了岭南局势，为最终削平士氏积蓄能量。士燮的去世使孙权看到了彻底消除士氏的契机，也使孙权长达十六年的谋划布局，终于进入落子阶段。

首次分治，士家瓦解

士燮去世于公元226年冬，随后孙权就进行了系统部署：先将士徽调往九真，又遣陈时继任交趾太守，再批准交州刺史吕岱的奏表，宣布从交州中分出广州。这三个措施环环相扣：调离士徽来削弱士氏力量，委任陈时以防止士氏重振，以交广分治来锁死士氏的发展空间，并进行权力体系的替换。这个过程注定不可能一帆风顺，孙吴也做好了部分的危机处理准备。

孙吴对交、广二州的分划是这样的：以北部湾海域为界，将“海东”的南海、苍梧、郁林、合浦、高凉五郡设为广州，改原交州刺史吕岱为广州刺史；将“海南”的交趾、九真、日南三郡设为交州，以将军戴良为刺史。这种安排的目的，传统观点认为是为了拆解士燮家族的力量。因为此次交广分治的时间很短，交广分治的取消在时序上处于平定士徽叛乱后，确实容易令人直观地理解为分解交州是为了削弱士氏力量，目的达成后就继续合治交广。

实际上最迟在公元222年，吴国就已实际控制整个交州，此时不诛灭士氏，一是因为士燮恭谨，二是要利用士氏的威德进行统治。此时士氏家族的力量主要集中于交州，在交州以外区域的影响已很稀薄，对吴国构不成实质性的威胁，所以通过专门调整政区来削弱士氏，既无可能也无必要。不过这里又引出一个问题：既然士氏势力集中于交趾和九真地区，那分割广州而缩小交州的举动，岂不是正中士氏下怀，让他们自己也可以有效聚集资源？实则当时孙吴分治时，士氏力量已被削弱，其所据诸郡县的首脑态度不一，已丧失了在此前士燮统领之下的合力。而在蜀国威胁西境的形势下，吴国经略交趾、九真等地的意志十分坚决，因此缩小交州境域的举动，反而是为士氏铸造牢笼。

孙吴进行交广分治，是有其长线考量的。一方面，可以将士氏锁死在交州，如果士徽主动示弱，遵命前往九真是最好的，如果他不从，而是展现出类似士燮的恭谨姿态，那将整个交州交给他治理也未尝不可。但不管怎样，士氏都不可能再像之前那样，跨出交州范围。另一方面，缩小原交州境域，单独划出广州，是南海、交趾两大中心的既有地位所决定的，可以集中有限的行政资源、挖掘地方的整合潜力，对边地进行更有效的管制。但也要看到，这个规划实施过于仓促，只是看到了表面的直接受益，没有充分考虑到各种隐性变量，低估了世族与当地的错综关联，也轻视了交州民俗的特殊性，所以难以持久。

此外，孙权此次分治交广，可能与蜀汉试图东进和东吴试图西进也有关系。三国时期，交趾、九真和日南三郡虽然远处边地，却是吴国和蜀国的必争之地。大概自公元220年起，吴、蜀在西南边疆地区全面对峙，吴国还通过士燮干扰蜀中和南中局势，以缓解自身西部战线的压力。公元225年蜀国平定南中之乱后，与吴国控制的交趾郡相邻，直接威胁吴国的西部防线，如果交趾被控制，吴国南部将时刻处在威胁中。对于吴国而言，交州三郡不仅可资防守，还可以此为跳板进攻蜀汉。分治这种收缩举动，有利于吴国凝聚交州区域力量。

史书没有记载士徽对孙吴交广分治的态度，不过可以推想，他应当不会反对这种安排。因为在当时情势下，士氏本来就只能控制“海南”之地，将原本不可控制的五郡分出，对他并无损失。即便是他看到了东吴锁死士氏发展空间的意图，但以士徽的才能，老实地躺在父辈的政治遗产上，未必不是其人生之幸。他后来起兵抗拒吴军，可能不是因为抵触交广分治，而是因为分治之前先被赶出家族根本之地交趾，在分治之后又没有得到代偿，所以心理严重失衡，进而激成兵端，殃及全族。这应该是陈寿所说“士燮作守南越，优游终世，至子不慎，自贻凶咎，盖庸才玩富贵而恃阻险，使之然也”的深意。

复旧之后，二次分治

第一次交广分治并未维持太久，在吕岱斩杀士徽，击破士氏余党后，“除广州，复为交州如故”。吕岱平定士氏家族，至早应在公元227年，因为自公元226年士徽起兵后，曾与其部下桓治等内战，“徽闭门城守，治等攻之数月不能下”；士徽死后，吕岱又要花费时间平定其余部。这也就意味着此次交广分治，持续时间很短。其原因可能主要是士徽叛乱导致士家被连根拔除，对原本只是意图限制士氏的孙吴来说，是较为意外的。这导致了两个亟待解决的问题：围绕交州刺史而配置的组织机构能否顺利建立并正常运转？交州三郡的士氏残党与其他豪族，是否会因兔死狐悲而选择反抗？

对第一个问题，孙吴并不持乐观态度。原交州刺史的驻地在番禺，现在新设于龙编，只是新设府邸和配置僚属就是不菲的开支。更为关键的是，新任刺史戴良和郡县长官，能否担当得起转折时期的重任还不得而知。围绕刺史职位而设置的组织机构，能否理顺与交州各个方面和层面的关系，也是未知数。

也许问题最终会得到解决，但这需要时间，而当时吴国局势并不乐观，西与蜀抗衡，北有魏国虎视，它更没有太多时间给予交州。已经解决的问题势必会引起新的问题，吴国还没有足够的经验来应对这些接踵而至的麻烦。“牧伯之任，既宜清能，荒流之表，祸福尤甚”，自汉朝以来，岭南一直就面临“九甸之外，长吏之选，类不精核”的问题，吴国自不例外。对此，薛综认为要治理好交趾等地，如果只是中人之资，胸中缺乏“奇数异术”，一定会遭到挫败，但找到步骘、吕岱这等人物，谈何容易呢？

对第二个问题，孙吴在吕岱出兵攻打士徽时就曾认真考虑过。当时有人提醒他：“士徽凭借累世之恩，为一州民众所附，不可轻视。”吕岱回答：“士徽应该没有料到我会出兵奇袭，我攻其不备，一定能破其军。如果行军稍慢，令他察觉，据城固守，并引起七郡百蛮群起相应，到时即便是上智之人，也无可奈何。”吕岱特别提到“七郡百蛮”，证明他已对士家与当地人群的关系有所了解。但事情的发展还是超出预料，吕岱平定交趾后，九真又发生叛乱，他只好“越海南征”，斩首万余，方才平定。即便如此，交州还只是“粗定”，更多的乱象正隐藏于波澜不惊的表面之下。要预防进一步的乱象，还要花费巨大的人力物力。

后来薛综在拟策解决高凉问题时，曾提出“假其威宠，借之形势”，这也可以看成解决交趾等地问题的思路。换言之，就是善于利用地方势力，通过羁縻的形式使他们服务于吴国。

这其实就是回到以前“县官羁縻，示令威服”的状态，只不过此前是士家独大，现在化整为零，由多个小的“士家”共同担当代理人。在这种思路下，交州和广州取消分治，合为一体。合体之后，交州刺史仍依前例，驻扎番禺，交州三郡仍保持半自治状态。

第二次交广分治在公元264年。与第一次分治时相比，此时的形势已经发生巨变。在内，永安六年（公元263年）五月，交趾郡吏吕兴杀太守叛乱；在外，魏国灭蜀后直接威胁吴国西线的形势。叛乱的吕兴遣使至魏请求内附，魏国很快进行回应，封他为南中大将军、都督交州诸军事。名为都督交州，实际上吕兴只控制交趾、九真、日南三郡。由于吕兴叛乱引发吴与魏、晋对岭南的争夺，公元264年，吴国做出了“复分交州置广州”的决定。此次分治主要目的是割断叛乱的交趾、九真、日南三郡与合浦等“海东”诸郡的联系，防止分裂事态向“海东”蔓延。第二次交广分立的同时设置合浦北部都尉，目的是管控俚僚群落，在交州与广州之间铺设缓冲带，这又体现出当时仍然存在“百蛮”响应的风险，所以需要分而治之。此次交广分立后，广州作为单独的行政建制被保留下来，直至公元280年吴国灭亡也未再并入交州。

作为巩固统治的措施，吴国在交州和广州都增置了新的郡县。交州原辖交趾、九真、日南三郡，吴主孙皓建衡三年（公元271年），陶璜攻打扶严夷后，在新辟之地设置武平、新兴二郡。天纪二年（公元278年），析九真郡境域，设置九德郡。所以，至吴国灭亡时，交州共有六郡。广州原辖南海、苍梧、郁林、合浦、高凉五郡，甘露元年（公元265年），析零陵郡南部都尉地置始安郡，析桂阳郡南部都尉地置始兴郡。凤凰三年（公元274年），析郁林郡地置桂林郡。外加此前已置的临贺、宁浦二郡，至吴国灭亡时，广州共有十郡。通过析置新郡、细化境域、调整边界等措施，吴国将中央权力向地方进行渗透。晋朝继续维持了交广并立的格局，只不过施展“犬牙交错”的计策，将合浦划入交州。大规模开置郡县，并不意味着吴国改变了借势而治的策略，它仍需依靠地方豪族进行统治。

交、广二州在地方层面各自分立，互相牵制，但在吴国中央的规划中，他们都是内郡的屏障，彼此之间是唇齿相依的关系，只有相互依凭支撑才可维持大局安稳。吴国通过交广分治的方式，控制了岭南之地，不但扩大了自身境域，还建立了稳固的财赋来源地，同时扩大了海外贸易。吕岱就曾多次“遣从事南宣国化”，促使“檄外扶南、林邑、堂明诸王”各遣使奉贡。扶南王在赤乌六年（公元243年）“遣使献乐人及方物”，此后进贡“一丈三节”的“诸蔗”，引发时人的极大兴趣。

东汉末年的变乱使交州地区的独特性再次凸显，此时期的交广分治造就了岭南的番禺—龙编双中心态势。赵佗时期，确立了郡县制度；汉灭南越，消弭了岭南原本自成一国的局面；交广分治，确立了各自基本的共同体范围；唐咸通年间分岭南道为东、西二道，作为整体的岭南给越人的压力得到缓解。交广分治在这个过程中起到承前启后的转折作用。

陆绩："廉石"压舱

（陆）绩容貌雄壮，博学多识，星历算数无不该览。虞翻旧齿名盛，庞统荆州令士，年亦差长，皆与绩友善。孙权统事，辟为奏曹掾，以直道见惮，出为郁林太守，加偏将军，给兵二千人。绩既有躄疾，又意在儒雅，非其志也。虽有军事，著述不废，作《浑天图》，注《易》释《玄》，皆传于世。

——陈寿《三国志》卷五十七《陆绩传》

陆绩（公元188—219年），字公纪，出身于吴国士族，少时了了，大亦颇佳。他以学问与德行立身，是三国乱世之中的一股清流。在郁林郡（治今广西贵港）担任太守时，他以博学善政、廉风润泽著称，至今仍被当地人民深切怀念。

怀橘知孝，少时了了

在《三国演义》诸葛亮“舌战群儒”一节中，曾出现陆绩的身影。他对诸葛亮发难：“虽然曹操挟天子以令诸侯，但他毕竟是相国曹参之后；刘备虽自称是中山靖王之苗裔，却无处查证。他一个织席贩履出身的人，拿什么与曹操抗衡呢?”诸葛亮回应：“你莫非是昔日在袁术座间怀橘的陆郎？请你安坐，听我一言。曹操既然是曹相国之后裔，那他自应为汉臣，现今他却专权肆横，欺凌君父，这不但是无君之举，还是轻蔑祖先的行为。他不仅是汉朝的乱臣，还是曹氏家族的贼子。刘豫州是皇亲宗室，当今皇帝查有确证，怎能说无处稽考呢？况且汉高祖出身于小小亭长，最终却占据天下。以此看来，刘豫州织席贩履，又何足为辱呢？陆公所言只是小儿之见，不足与高士共语。”这番争论以“陆绩语塞”告结。

罗贯中对陆绩形象的塑造，有其尊蜀抑吴的考量。历史上真实的陆绩，虽不如诸葛亮那样震古烁今，却也是一位文武兼备、令名远播的人物。陆绩是东汉末年人，生于吴郡吴县（今江苏苏州)。陆氏家族是江东地区的名门望族，其远祖陆闳早在东汉建国之初，就曾担任尚书令，其后代有才人，仕宦不绝，被视为“江东第一士族”。古人崇尚立功、立德、立言“三不朽”，士族为了维持门阀荣耀，也对德行、学问、功业三事极为推重。在陆氏家族中，陆康和陆逊以功业名世，陆机和陆云以学问见长，而有的子弟资质超迈，可以兼守多门，如陆绩既以孝行而声名远播，又以精研《易》而学名垂后世，同时还身怀军事才能。

陆绩在少年时期就已德才兼备。他六岁时曾在九江郡拜见袁术，袁术用橘子待客，他将其中三枚藏于怀中。等到告辞拜谢时，橘子就从陆绩怀中滚落出来，于是袁术问道：“陆郎既然是我的宾客，为何要把橘子拿走呢?”陆绩跪答：“我想回家献给母亲。”袁术闻言，十分诧异。袁术诧异的原因有二：一方面因为陆绩小小年纪，已知怀物孝亲，这本身就较为少见；另一方面陆绩的父亲陆康当时正在九江郡邻境的庐江郡担任太守，与袁术关系不睦，陆绩怀橘之举也是陆氏忠直门风的一种体现，有子如此，其父何如?这难免令袁术感到不适。由于“移孝作忠”观念的影响，陆绩怀橘的典故后被收入《二十四孝图》。

陆绩“幼敦《诗》《书》”，对学问用功颇多，但他并非只会摘句寻章的陋儒，而是在少时就展现出不凡器局。当时孙策已经占据吴地，某日孙策与张昭、张纮、秦松等人议论天下之事，一致认为当下正是用武之时。陆绩坐于行列之末，听闻孙

清代郑煦《陆绩袖橘》局部

策等人的议论后，大声抗辩：“以前管仲辅佐齐桓公时，九合诸侯，一匡天下，不用兵车。孔子曾说：‘远人不服，则修文德以来之。’现在大家不去思考如何发扬道德，而是一味崇拜武力，我虽然尚在童蒙之年，对此却也不敢苟同。”张昭等人对陆绩之言感到惊异。张昭等人的惊异，除了异于陆绩的直言不讳之外，恐怕还与陆绩之言直接否定了孙吴的统治特色有关。

左思《吴都赋》中称吴地“士有陷坚之锐，俗有节概之风。睚眦则挺剑，喑呜则弯弓。拥之者龙腾，据之者虎视”。清代史家赵翼曾对比三国政治的差异，“曹操以权术相驭，刘备以性情相契，孙氏兄弟以意气相投”。“意气相投”的主要体现是普遍重武，正如今人所言，孙吴政权是“由大小私兵军团构成的高度军事化政权”，而孙吴君臣之间的关系则是“由任侠关系升华的人格主从关系”。陆绩主张以德服人，与孙吴的立国基础是相悖的，这可能是张昭等人惊异的主要原因。陆绩之所以作此言语，除了他质直的品格外，还应与陆、孙两家的世仇有关，因为就在数年之前，孙策奉袁术之命攻打庐江郡，陆绩之父陆康率领宗兵守城死战，陆康本人及族内数十人皆死。

精研象数，发展易学

陆绩成年之后，“容貌雄壮，博学多识，星历算数无不该览”。由于本身的刻苦笃学，他得到了前辈名家的赏识。当时的易学大家虞翻、荆州令士庞统，虽然年龄都长于陆绩，却“皆与绩友善”，庞统将他称为“驽马有逸足之用”者。在与各路名家的切磋之下，陆绩的学问日益精进。此时他的精力主要放在钻研《礼》《易》上。在中国易学史中，陆绩以精于象数著称。“象数”即通过取象将万事万物收纳于符号体系中，并用具体的卜筮方法，使符号体现出错综关联、无所不包、化演无极的特点，最终模拟出一个缩微却涵摄无穷的宇宙。陆绩的易学以京房易学为中心，博采汉代诸家之长，在八宫、飞伏、积建三说上甚有创见。

虽然陆绩精于象数，但他并不溺于象数，而是致力于探究义理，阐幽发微，这主要表现为他对京房灾异论的扬弃。汉代文景之后，尊崇以今文经学为基础的儒术，皇权空前强大，“后世君尊臣卑，儒臣不敢正言匡君，于是亦假天道进谏”，致使汉儒“援灾异以规时政”成为风气，京房“假经设谊，依托象类”而创造的灾异论，就是这种潮流的一部分。当祥异谶纬之说被泛用解释天命人事时，其弊端也与日俱增：首先，君主外示自警而内不以为然；其次，部分人物侈谈灾异以为进身之阶；再次，群臣利用灾异互相攻讦。随着今古文经学的合流，至东汉末三国时期，灾异论已是强弩之末。如何对传统文化遗产进行扬弃，就成了当时士人的任务。陆绩就是在这个背景下，一方面继续潜研《周易》象数，另一方面注重发明义理以回应当时的课题，以阴阳厘正礼仪秩序，这些都体现出陆绩内圣外王、通经致用的理想。

清介忠直，“廉石”压舱

孙权用事之后，任用陆绩为奏曹掾。在奏议之时，陆绩经常直言论事，令孙权屡感不悦，于是将他外放为郁林郡太守，同时加偏将军衔，给兵两千人。郁林郡处于交州之地，孙权自建安十五年（公元210年）起就开始南向渗透，经过步骘的数年经略，交州豪族士氏已对孙权表示顺服，但地方暗流涌动，难称安靖。在这种情况下，孙权将陆绩派到郁林郡，侧面说明陆绩是有一定军事才能的。陈寿甚至认为将陆绩派至郁林是大材小用：“陆绩之于扬玄，是仲尼之左丘明，老聃之严周矣；以瑚琏之器，而作守南越，不亦贼夫人欤！”之所以如此说，是因为孙权与南越的战争量级，与孙曹和孙刘的战争量级不在一个档次，所以孙权把陆绩外派驻守南越，在陈寿看来是违背了孙策“举贤任能，各尽其心”的临终嘱托的。

此外，将陆绩派至郁林，恐怕也与孙权刻意限制江东世族的意图有关。孙氏出身于淮泗地区，对江东世族素来忌惮。知名历史学者田余庆先生曾阐述孙氏与江东世族关系的演变轨迹。第一阶段，江东世族抵抗袁术部将孙策的“入侵”，典型代表就是陆绩之父陆康，其表现为孙策诛戮江东英豪。第二阶段，孙权用事之后，欲借助江东世族以补淮泗集团力量之不足，而江东世族也有依附孙氏的必要，典型代表是虞翻，其表现为孙吴对吴会大族采取利用与限制相结合的策略。第三阶段，淮泗集团后继无人，孙吴必须与江东世族连为一体，而江东世族也借孙吴以壮大家族势力，典型代表是顾雍和陆逊，其表现是他们得以分居文武朝班之首。陆绩出守郁林时，孙吴与江东世族的关系就处于第二阶段。

陆绩被表举为郁林太守的时间，应在建安十八年（公元213年）之前，因为此年曹操“复《禹贡》之九州”，将郁林郡划归刘璋所在的益州，孙权也就失去了表举该郡太守的权力。陆绩来到郁林郡后，兴利除弊，以“博学善政见称”。《三国志》记载：“陆绩腿脚不便，其志不在军事开拓，而在学问风雅，所以在政务戎机之余，笔耕不辍。他曾作浑天图，注解《周易》，阐释《太玄》，这些著作都流传于世。”除了个人学问方面的建树外，他还做了不少造福百姓的事情，主要有“筑城以御寇，凿井以便民；治河流以促农耕，办书院以开民智”。他对郁林郡的感情颇深，以至于将自己的女儿命名为“郁生”。

贵港地区还留有他的一处施政遗迹——陆公井（地下泉不断涌出，漫过水井，汇集成今日贵港“南湖”）。光绪《贵县志》载：“陆公井，又名橘井，在县南三里古郁林城，怪石清流，吴郡守陆绩所凿。”巧合的是，陆绩所擅的《周易》有“井”卦，卦象上坎下巽，卦辞言：“改邑不改井，无丧无得，往来井井。”陆绩解释：“井的德性在于澄清见用，这种德性是不可改变的。”他又将井德比喻为君德，只有用德治民才是为君之道。可以推想，陆绩在凿井时，“井”卦的道德意义应是高悬心头的。今日贵港市港南区有“橘井名区”牌楼，新塘镇不少村屯还会过水井节。这一方面是贵港民众在表达对陆绩廉风润泽的纪念，另一方面寄托了他们对幸福生活的期望。

在郁林任官期间，陆绩“遘疾遇厄”，被孙权召回故里。他临行时行囊空空如也，由于“舟轻不可越海”，为了加重船只、抵御风浪，特选巨石一块以压船舱。途中他遇到劫匪，劫匪搜寻一番而无果，询问方知舟客为太守陆绩，于是惭愧离去。这就是著名的“廉石”压舱的故事，陆绩也因此事而置身于廉吏行列。归乡之后，陆绩并未将巨石丢弃，而是将其安于宅院之后，其后人将此石移于门口，“号郁林石，世保其居”。

矗立在江苏苏州文庙的“廉石”

陆绩在回到吴郡故里不久，就因病去世，享年三十二岁。其清介忠直的家风影响到其后人。其女郁生被许配给张白，未及完婚而张白死。“郁生宣称遵守贞节，大义溢于言表，虽然她身边多是富贵之人，却发誓不再婚嫁，并在艰难的环境中，保护着张白的姐妹”，受到时人的高度褒扬。

陆绩少时即以德行和器局名世，他对《周易》的理解不只为时人称道，还深刻影响了后世的易学研究。他虽生逢乱世，却始终践行“陆忠”家风，既忠于外在的人事职守，又忠于内心的理想操守，无论是遭遇坎坷还是触逢诱惑，都不改其初心，是一位表里如一的高洁之人。在任官郁林期间，他坚持以德服人，弘扬文教，不用力于武力征服，不濡染于时风众势，在中国清廉文化中留下了浓墨重彩的一笔。

绿珠：宁为玉碎的风华与风骨

时赵王伦专权，崇甥欧阳建与伦有隙。崇有妓曰绿珠，美而艳，善吹笛。孙秀使人求之。崇时在金谷别馆，方登凉台，临清流，妇人侍侧。使者以告。崇尽出其婢妾数十人以示之，皆蕴兰麝，被罗縠，曰："在所择。"使者曰："君侯服御丽则丽矣，然本受命指索绿珠，不识孰是？"崇勃然曰："绿珠吾所爱，不可得也。"使者曰："君侯博古通今，察远照迩，愿加三思。"崇曰："不然。"使者出而又反，崇竟不许。秀怒，乃劝伦诛崇、建。崇、建亦潜知其计，乃与黄门郎潘岳阴劝淮南王允、齐王冏以图伦、秀。秀觉之，遂矫诏收崇及潘岳、欧阳建等。崇正宴于楼上，介士到门。崇谓绿珠曰："我今为尔得罪。"绿珠泣曰："当效死于官前。"因自投于楼下而死。

——房玄龄等《晋书》卷三十三《石崇传》

绿珠（？—公元300年），姓梁，交州合浦郡（今玉林博白）人。西晋后期，上下失道，政风空前黑暗。绿珠风姿绝艳，闻名当世，然而才命相妨，最终沦为权力斗争的祭品。她的一生是时代悲剧的隐喻。

风姿绰约，才情斐然

越女是中国文化中的独特意象，只是偶尔在满目须眉间闪现身影，就为历史平添一抹颜色、一丝况味。与中原女性的形象不同，越女的角色更加多样，透射出典型的南方地域特征。"筑城以御寇，而女子以为帅"的邵女，"缚牛于大木，执刀以数罪"的"屠婆"，"修治黄鳝水蛇，即一条必胜一条"的庖妇，代表了百越之地女性的剽姚武猛的一面；"色若天人"的叶限，"若仙姑，尤其清丽"的南海女子，则代表了百越之地女性温婉清华的一面。西晋时期的绿珠则是兼具诗性美和力量感的人物。

传说绿珠出生之地有双角山，是一种地理异象，为她此后的遭际染上神秘色彩。"绿珠"之名，应与百越之地重珍珠的习俗有关，当时合浦郡海域有"珠渊"，所产之珠品质上乘，为天下最，常被用于向中央王朝进贡。出于美愿的目的，百越之地的民众生男则名为"珠儿"，生女则名为"珠娘"。

如果不是石崇的出现，绿珠也许会遵循当时女性的普遍命运，“躬庖厨，勤刀机”，终老岭南。在宋人所写的传奇中，石崇在遇见绿珠时，其职务是“交趾采访使”，这应是后人倒记的结果，因为“采访使”始置于唐代，《晋书》也并未记载石崇曾在绿珠的家乡交州任职。或许石崇是在荆州刺史任上遇到绿珠的，但具体是何种机缘已经不得而知。

南宋平阳木刻年画《隋朝窈窕呈倾国之芳容》中的绿珠（右一）

世传石崇成为西晋巨富，是因为在荆州时大肆劫夺商客，但这种说法难以成立。因为石崇、王恺斗富之事在晋武帝司马炎在位时期（公元265—290年）已经发生，而石崇出任荆州刺史是在司马炎去世之后。这至少表明，石崇早在主政荆州前就已富甲天下。在荆州任上劫掠商客，只是令其家资更为丰赡而已。所以，石崇能以“真珠三斛”的代价，将绿珠纳入府中。

绿珠“美而艳，善吹笛”，而石崇以文采显扬于当时，在“清渠激，鱼彷徨，雁惊溯波群相将，终日周览乐无方”的金谷馆中，石崇所作歌诗常由绿珠吹奏。诗乐唱和使两人的情志交融，互蕴程度日益加深，在主从关系之间又凝结出一层“高山流水”般的知音关系。这大概是后来石崇坚决不肯将绿珠赠予孙秀的主因。须知石崇对寻常美人并不怜惜，在请王导、王敦兄弟饮酒时，只因王敦酒不尽杯，石崇就立斩行酒侍女，连杀三人而王敦终不肯服。视其他美人如草芥，而为绿珠不惜得罪权臣，可见石崇并非寻常的渔色之徒。

士为知己者死

在日益狂迷的局势中，优游岁月，歌以永年，注定难以持久。在被专宠的时光中，绿珠可能不止一次地思考如何报偿。其方式其实十分有限：她不是掌握大权的权贵，所以不能给石崇高官厚禄；她也没有内助枢机之才，可以让石崇解除内虞，在外部权斗中放心驰骋。她所有的只是她自己，“士为知己者死”，当死局来临时，“杀身成仁，舍生取义”具有无与伦比的蛊惑力和正当性。

公元300年，赵王司马伦掌握大权，其党羽孙秀遣使前来金谷馆索要绿珠。石崇尝试斡旋，将他的数十名侍妾全部请出，身着绮罗绸缎，熏染兰麝之香，让使者任意选择。使者说：“君侯的侍妾固然服用华美，但我接到的命令是得到绿珠，不知她可在其间？”石崇愤怒：“绿珠是我钟爱之人，你们是得不到的。”使者继续劝说：“君侯是博古通今之人，应该知道审时度势，请三思而行。”石崇仍然拒绝。使者被拒绝后，担心无法交差，于是“出而又反”，希望石崇改变心意。然而石崇坚执不允。石崇先是委曲求全，后又三度拒绝，这足以体现绿珠在他心目中的分量。

孙秀在被拒绝后，恼羞成怒，劝司马伦杀掉石崇。石崇也未坐以待毙，而是先发制人，劝淮南王司马允、齐王司马冏杀司马伦。孙秀察觉之后，假传圣旨收捕石崇等人。当兵士到达金谷馆时，石崇正在楼上宴饮，于是他对身旁的绿珠说：“我是为你才得罪了孙秀。”这可能只是一句戏言，因为在绿珠死后，石崇说：“我不过会流徙交

清代华嵒《金谷园图》，描绘石崇与绿珠乐饮场面

州、广州之地罢了。”他并未把事态看得多么严重。

但这句话却令绿珠心潮澎湃，也许她是这样想的：既然君侯因我获罪，那我怎样为他开释呢？方法无非有二，侍奉孙秀或者以死明志。侍奉孙秀我做不到，以死明志则正好杀身成仁。于是她决然道：“我将为你死于官军面前。”旋即从楼上飞身跳下，香消玉殒。杜牧曾为此场面作诗：“繁华事散逐香尘，流水无情草自春。日暮东风怨啼鸟，落花犹似堕楼人。”悲剧就是把美好的东西毁灭给人看，绿珠坠楼本是瞬间之事，杜牧却将坠楼的过程拉长，人如落花飘零久，在世人心中留下无尽感伤。

史书没有记载石崇对绿珠之死的反应，或许他感到欣慰，因为有人甘愿为他而死；或许也有错愕，因为他本不过是一句玩笑。石崇随即就被捉拿斩首，“母兄妻子无少长皆被害，死者十五人”。其好友潘岳也于同日被杀，为后世留下了“投分寄石友，白首同所归”的雅谈。不久之后，司马冏等人发动政变，杀死孙秀，司马伦也在饮金屑酒后“以巾覆面”而死。

绿珠之死的背后，其实隐藏着西晋惨烈的权斗伏脉。东汉以来，当时中国形成了后宫掌权、外戚干政、宗室相戕、世族垄断的政治传统。西晋虽在军事上完成了一统，却无法摆脱强大的历史惯性。公元290年，晋武帝司马炎去世后，“何不食肉糜”的晋惠帝司马衷即位，大权落入外戚杨骏手中。公元291年，皇后贾南风依靠宦官和宗室之力，杀死杨骏，并继续挑动西晋宗室的争斗。为巩固权力，贾后大力任用本家亲戚为官，其内侄贾谧即是石崇的政治靠山。公元300年，赵王司马伦和孙秀杀贾南风及其同党。在孙秀索要绿珠之时，石崇的后台贾谧已被杀死，石崇受到牵连而免官。因此，孙秀索要绿珠的举动，除因绿珠本身的才貌双绝之外，还有对政敌的威压测验。石崇拒绝服从的姿态，令孙秀感到己方权力尚不稳固，于是发动进一步攻势。绿珠无心参与权斗，却恰好成为政治倾轧的牺牲品，大化无情，时耶命耶？

高洁品格引后世礼祀

绿珠坠楼有太多的解读空间，各种解读都是在重建、滋养绿珠的文化生命，“绿珠”也因之成为具有多重意蕴、因时赋新的意象。有人认为绿珠是“女祸”的代表，唐代名相李德裕认为：“夫天地万物，异于常者，虽至美至丽，无不为妖，睹之宜先戒惧，不可以为祯祥……由是而言，则褒姒、骊姬，皆为国妖，以祸周、晋；绿珠、窈娘，皆为家妖，以灾乔、石。不可不察也。”所以当绿珠死后，其故乡的井水被人用巨石填平，以免“绿珠歌舞天下绝，唯与石家生祸胎”的悲剧重演。

有人认为绿珠之死是对石崇祸福果报的承当。宋代著名地理学家乐史评论：“石崇之死，表面是由于绿珠，实际上与他此前的不法和失德行为有关。他在荆州截杀客商，又制造鸩毒，仅仅因为王敦不喝酒就斩杀侍女，这些都是不义之举，怎

广西博白绿珠祠

能不得报应呢?”有人则认为绿珠坠楼蕴含着知恩图报的高洁品格。江淑作《绿珠》诗曰:“金谷谁怜换劫尘,须知富贵不如贫。石家多少闲宾客,输与楼头一妇人。”

在绿珠家乡,传说绿珠去世之后,化为白鹤,穿越万水千山,回到广西玉林博白故里。博白民间有这种说法:“绿珠坠楼化鹤归来的时候,为念乡亲,飞过九千九百九十九座山,看过了九千九百九十九株金茶花,从九千九百九十九朵茶花中,选出了一朵最香最甜最美的用嘴摘下,带回故里奉献乡亲。”仙禽、金花、福荫乡里,博白民众把最妙的姿态、最美的祝愿和最好的德行,都赋予绿珠。至迟在清代康熙四十七年(公元1708年),博白官民就已给绿珠以神格并建庙礼祀,至今博白县仍有绿珠祠,香火不绝。

勾漏洞仙踪：广西道教的发展

（葛洪）以年老，欲练丹以祈遐寿，闻交趾出丹，求为句漏令。帝以洪资高，不许。洪曰："非欲为荣，以有丹耳。"帝从之。洪遂将子侄俱行。

——房玄龄等《晋书》卷七十二《郭璞葛洪传》

汉晋六朝时期，道教在广西落地生根并发展壮大。东晋葛洪，行迹遍及桂东南，在唐代以后得到广泛崇祀，成为玉林地区的重要文化符号。

岭南道风，何以兴起

东汉顺帝时期，张道陵在蜀地创立道教。东汉灵帝时期，张角在汉中传布太平道，并掀起反抗汉室的黄巾起义。以诸侯镇压起义为开端，岭北连年兵燹，士燮治下的交趾等郡，成为乱世中的“桃花源”，吸引大量民众南迁。道门高士投庇岭南，也是这场移民的组成部分，对此牟子曾言：“是时灵帝崩后，天下扰乱，独交州差安，北方异人咸来在焉，多为神仙辟谷长生之术。”道士南迁之后，固然可以全性保真，客观上也起到传布道教的效果。

其后，道教在广西日见发皇。这除了得益于持续的时势催发，还与内蕴和谐的自然环境、契合道风的南越习俗、赞襄修行的丰饶资源有关。

“为道者必入山林”，而广西正是山水秀异之地。薛玄真在《仙传拾遗》中说：“九疑五岭，神仙之墟，山水幽奇，烟霞胜异。”在道教三十六洞天中，位于广西东南地区的就有三个，分别是：位于玉林容县的都峤山洞天，又名“太上宝玄洞天”；位于贵港桂平的白石山洞天，又名“秀乐长真洞天”；位于玉林北流的勾漏山洞天，又名“玉阙宝圭洞天”。在道教中人看来，“合丹当于名山之中，无人之地”，这些洞天僻于廛（chán）市人居，远离名利纷扰，正是清修炼丹的绝佳场所。

广西北流勾漏洞洞口

广西北流勾漏洞内部

古代岭南的重巫风气和楼居传统，与道教神仙信仰有契合之处。汉武帝平定南越之后，还通过吸收岭南的巫祝传统，来显扬大一统政治的涵容力。葛洪《抱朴子》所载的禁方法术，与南越人的巫术关联甚密，而《枕中书》所创造的开天辟地的“元始天王”形象，则直接源于岭南地区的盘古信仰，这很好地消除了南越人对道教的陌生感。“仙人好楼居”，南越人习居的干栏建筑，虽是适应岭南风土的产物，但这种腾林拂云的居住景观，正契合道教“居高处远，清浊异流”的神仙意境。

在道教修士眼中，仙药分为三等，最上等者为黄金和丹砂，葛洪曾言：“九丹金液，最是仙主。”广西则为丹砂、黄金富集之地。《岭外代答》曾记述了广西的丹砂产地：“当年葛洪为了丹砂而求任勾漏县令……勾漏就是今日的容州，由此可知广西丹砂优于其他地方……听说邕州右江溪峒归德州大秀墟出产金缠砂，大如箭镞，砂体上有金钱状的花纹，乃是真正的仙药，服用之后有助于修行……在邕州溪峒地带，当夜里挖掘丹砂时，整座山都会隐隐泛出火光。”而黄金在“融、宜、昭、藤江滨与夫山谷皆有之，邕州溪峒及安南境皆有金坑，其所产多于诸郡”。广西俨然成为道教炼丹的药材仓库。

道教文化在广西的发展

在道教传说中，早在汉代就有“仙人”“真人”在广西修炼，其中以玉林容县都峤山洞天最为集中，代表人物有刘根、华子期、廖冲、廖平、廖扶，另有坤道滇媪、陀妪。道教兴起之后，主要分为丹鼎、符箓二派。丹鼎派注重服食丹药，长生久视，由于“事大费重”，多流行于权贵豪富阶层；符箓派注重神符禁咒，禳灾祛病，因为简便易行，主要散布于平民群体。

就丹鼎派的传播而言，传说道教创始者张道陵曾在贺州富川丹灶山炼丹。交州刺史张津主政之时，曾经戴绛色帕头，鼓琴烧香。头戴赤巾是张道陵天师道的标志，这表明张津试图以道教为工具，通过传播切合南越人固有信仰的学说，来收拢人心，佐治助化。士燮主政交趾时期，曾一度病重垂危，当时避居于此的著名道医董奉献上丹药，帮助士燮渡过难关。葛洪隐居广东罗浮山炼丹时，罗秀曾前去拜师学道，其后由于炼丹无果，回到邕州宣化县（今南宁市青秀区、兴宁区和江南区部分区域）北的青山洞修炼。南朝诗人阴铿之妻曾游历交州，因患腹胀病而濒于危境，幸赖苍梧道士林胜以“温白丸”相救，方才化险为夷。

符箓派的传播与丹鼎派并行不悖。在牟子客居交趾时期，曾经注意到记载道教法术符箓的书籍，如“王乔、赤松八仙之箓，神书百七十卷”。有专家认为此处的“神书”即广泛流传民间的《太平经》。东晋末年孙恩、卢循能够兴兵起事，与孙恩叔父孙泰在担任郁林太守时，在民间大力传播天师道，“扇动百姓，私集徒众，三吴士庶多从之”有关。在卢循进兵交趾过程中，还得到了俚僚五千余人的响应，这些俚僚应是居于合浦西南山区的人群，他们的首领名为“李脱”，属于崇奉仙人“李八百”的民间道团。由于他们的信仰与天师道相近，所以才集结当地民众起来支援卢循。今日广西民间流传的“道公”信仰，擅长“画符诵咒，打醮祛疾”，也与符箓派的关系十分密切。

信奉丹鼎派的权贵豪富阶层，常将修道炼丹视为秘事，其中的典型就是陶氏家族。自陶基担任交州刺史后，其子陶璜，孙陶威、陶淑，重孙陶绥也先后担任刺史，世守交州。史学大师陈寅恪先生认为这与当时将道教视为“安身立命之秘，遗家训子之传”的风气有关——“匪独陶氏如是，即鲍靓、葛洪，及孙泰、卢循诸人亦莫不然”。相比之下，信奉符箓派的下层民众，则纯粹坦诚得多。他们无需在道教之外缘饰儒术，由于符箓派重视役神驱鬼、祈福禳灾，与当地的固有信仰存在畅通接口，他们只要依据本心行事即可。

广西东南，崇奉葛仙

葛洪（约公元281—341年）是道教在岭南传播的标志性人物。《晋书》记载他在年老时，希望以丹药来延年益寿，听说交趾地区产丹砂，于是上书晋帝求为句漏县令。晋帝认为葛洪才具过人，应予以重用，否决了他的请求。葛洪说：“我所求非为名利，只是当地的丹砂而已。”晋帝方才同意。于是葛洪携子侄共同南

元代王蒙《葛稚川（葛洪）移居图》局部

下，行至广州时，被刺史邓岳所留，葛洪便于罗浮山隐居炼丹。

道教史研究名家王承文先生认为，虽然正史记载葛洪隐居于广东，但不能排除他曾到广西勾漏山地区游历。葛洪在罗浮山之外的行迹相当广泛，广东增城仙村、顺德葛岸村、南海丹灶仙岗村、德庆三洲岩、怀集四门岩、广州三元宫、清远金鸡岩、英德碧落洞、南雄钟鼓岩，广西以勾漏山脉为中心的北流、容县、贵港等地，都有葛洪的炼丹遗址或传说。

尽管今日玉林北流的勾漏山脉，不是当时葛洪意欲任职的交趾郡句漏县（今越南宁平省安庆县和南定省丰盈县等地），但唐代以后玉林官民供奉葛洪，确已成为当地的重要文化事件。公元1067年，宋人许彦先游勾漏洞时曾作诗：“葛翁仙去仅千年，水远云深一洞天。无限灵砂人不识，空余丹灶石门前。”这表明时人已经认为葛洪曾在北流活动。其后王越石游赏勾漏洞时，还看到了葛洪的塑像。宋人之所以将交趾句漏县的位置迁移至北流勾漏山，一是因为“句”是南越人地名中常见的发语字，而句、勾二字互通，本易混淆；二是因为“宋代交州已独立建立政权，因此宋人大量记载将广西勾漏山作为葛洪准备出仕的勾漏县”。

明清时期玉林官民的葛洪民间信仰愈加稳固。此时期葛洪已经成为北流地方文化的代表性符号，除了官方的提倡外，桂东南民众也普修庙宇，塑造金身，对葛洪进行虔心供奉。明崇祯十年（公元1637年）七月，徐霞客曾亲游北流勾漏洞，记载了供奉葛洪的勾漏庵的情况：“内堂三楹，中列金仙，东则关圣，西则葛令。而葛令之像，纶巾朱履，飘然如生。”至清代，玉林官民赋予葛洪形象新的内涵——“任何人只要各司其职，维护社会稳定和谐，达成儒家天下大同、百姓安居乐业之理想社会，即是人间仙境，吏士农工商皆可为仙也”，于是葛洪由道教仙人转变为儒家政治道德的理想代表。“官能化佛春常遍，吏可成仙寿最绵”，葛洪成为地方政府在辅政教化时频繁称引的“仙吏”。

道教在广西的流布与发展，是在移民潮流、自然环境、当地习俗、丰饶资源的共同作用下进行的。丹鼎、符箓二派，分别在广西社会的不同阶层得到认受，并与本土民间信仰深度结合，形成了特色鲜明的地方分支，体现了各民族交往交流交融的普遍性。围绕葛洪在桂东南地区的遗迹和传说，玉林地区形成了葛洪民间信仰，在教化民众方面起到了积极作用。

颜延之：为独秀峰拟定嘉名

时尚书令傅亮自以文义之美，一时莫及，延之负其才辞，不为之下，亮甚疾焉。庐陵王义真颇好辞义，待接甚厚；徐羡之等疑延之为同异，意甚不悦。少帝即位，以为正员郎，兼中书，寻徙员外常侍，出为始安太守。领军将军谢晦谓延之曰："昔荀勖忌阮咸，斥为始平郡，今卿又为始安，可谓二始。"黄门郎殷景仁亦谓之曰："所谓俗恶俊异，世疵文雅。"

——沈约《宋书》卷七十三《颜延之传》

颜延之（公元384—456年），琅邪临沂（今属山东）人，史称其“文章之美，冠绝当时”。他与谢灵运齐名，世称“颜谢”。南朝刘宋时期，颜延之曾任始安郡（今广西桂林）太守，为今天的独秀峰定下“独秀”嘉名。他一生宦海沉浮，遭际坎坷，最终幸得全身而退。他以辞章之美和清傲之姿，为后世所推重。

俊杰廉悍，为世所嫉

颜延之的学问，主要体现在文学和儒学上。在文学方面，他“好读书，无所不览，文章之美，冠绝当时”。晋安帝义熙十二年（公元416年），刘裕麾军北伐，颜延之受命奉使至洛阳，途中感物生情，作《北使洛》诗，“文辞藻丽，为谢晦、傅亮所赏”，自此在文坛崭露头角。颜延之的诗文“尚巧似，体裁绮密，情喻渊深”，“自潘岳、陆机之后，文士莫及也”。此外，颜延之在儒学上也造诣不凡，他曾自言：“在幼年和少年时期，就已博览群书。对皇王和圣贤的风范和事迹，都有所了解。”刘裕称帝之后，颜延之担任太子刘义符的舍人，当时雁门名儒周续之被征至京师，开馆授徒。开馆之日，刘裕亲至，专令颜延之坐于上席，与周续之辩论经义，“续之雅仗辞辩，延之每折以简要”，连续挫败周续之，得到时人的称誉。

颜延之的行事风格可用“俊杰廉悍”一词来概括。他所出身的琅琊颜氏，奉颜回为祖。颜回箪食瓢饮，曲肱而枕，居陋巷而无忧的贤良做派，成为颜氏后人的修身之本，自然也对颜延之浸润至深。颜延之少时家道衰落，“居负郭，室巷甚陋”，但他不以为扰，清介自守，以正心修身为急务。在仕历起落之中，他始终“居身清约，不营财利，布衣蔬食”，大有当年颜回“不改其乐”的风范。身负超世之才与清介品格，他待人论事自有高标，尤不肯俯首屈从于世族权贵。当时的尚书令傅亮自认文才过人，顾盼自雄，时人惧怕其权势，纷纷对他奉承附和，颜延之却不以为然，始终不肯做出卑下的姿态，即便是引发傅亮的嫉恨也在所不惜。

颜延之的棱角分明，使其仕宦生涯波澜起伏，明代张溥对此有精辟总结：“历四主，陪两王，浮沉上下。”所谓“历四主”，是指他曾在南朝刘宋武帝刘裕、少帝刘义符、文帝刘义隆、孝武帝刘骏治下为官。他在晋安帝义熙元年（公元405年）出仕，担任吴国内史刘柳的行参军。后担任豫章公刘裕之子刘义符的中军行参军。刘裕代晋之后，刘义符被立为太子，颜延之担任太子舍人。刘义符继位后，颜延之出任正员郎兼中书郎。刘义符被徐羡之等人废杀后，刘义隆登基，召回颜延之，任命为中书侍郎，转太子中庶子，领步兵校尉。刘义隆被杀后，刘骏登基，以颜延之为金紫光禄大夫。“陪两王”是指他曾与庐陵王刘义真、始兴王刘濬交好。“浮沉上下”是指他服爵帝典却宦途坎坷，先是被贬黜出京，担任始安太守，又被权臣弹劾，闲居七年之久，后因其子参与谋逆，又差点惹来杀身之祸。

南下始安，谱写佳事

颜延之任官始安，是其仕宦生涯的一次重要转折。在任职始安太守之前，他是少帝刘义符的心腹之臣，但当时朝权掌握在徐羡之等权臣手中。他们以少帝“负荷非才”为由，图谋更立刘义隆为帝。按照兄终弟及的顺序，如果废黜刘义符，首要继承人应为庐陵王刘义真，其次才是刘义隆。因此，徐羡之等人首先要剪除刘义真，为扶立刘义隆扫清障碍。刘义真雅好文学，与颜延之、谢灵运过从甚密，这引起了徐羡之等人的猜疑。实际上刘义真与颜延之的交游，只是纯粹的兴趣使然而已，并无结为朋党的意图。刘义真曾言：“灵运空疏，延之隘薄，他们都是魏文帝所说的难以依靠名节自立的人。对于他们的缺点我很清楚，我们的交游只是性情相近，志趣相投，相互欣赏而已。”但在当时的朝局中，这番自白颇显无力，反而可能被解读为别有深意，是在为“构扇异同，非毁执政”作掩护。约在晋少帝景平二年（公元424年），当庐陵王被废为庶人之后，颜延之也被外放为始安太守。

始安郡治所在今广西桂林。元兴元年（公元264年）七月，吴国第二次分治交、广，次年又分零陵郡南部都尉地，置为始安郡，属广州刺史管辖。由于始安在时人观念中属于荒远烟瘴之地，因此不少人对颜延之的横遭放逐持同情态度，谢晦曾宽慰他：“昔日荀勖（xù）忌惮阮咸，将他外放至始平郡，今日你又被放至始安郡，我看你们二人可称作‘二始’。”殷景仁也说：“可见俊异之才不为俗人所喜，文雅之人难如世人之意。”颜延之本人也不免愤懑，他与刘义真本为素友清交，却被权力斗争所染污，而今知交零落，唯有忧思填塞。在这种复杂心绪的催发之下，他在赴任途中写了不少传世佳作。

他从刘宋都城建康出发，一路西行，在经过诗人陶渊明隐居的寻阳郡（今江西九江）时，刻意展缓旅途，前去与陶渊明叙旧。先前颜延之在担任刘柳的后军功曹时，就与陶渊明情款甚密，他曾写下“自尔介居，及我多暇。伊好之洽，接阎邻舍。宵盘昼憩，非舟非驾”的动人诗句。此番外放，他对故交情谊自是格外看重，于是日日盘桓于陶宅，“每往必酣饮致醉”。盘桓许久之后，颜延之才动身离去。在临别之际，他赠予陶渊明二万钱，陶渊明则一毫不留，全部送至酒肆，以为后续买酒之资。颜、陶交谊之笃，人物之妙，于此可见一斑。

辞别陶渊明之后，颜延之折而南下，到达汨潭。时逢端午，湘州刺史张纪请颜延之撰文吊祭屈原。屈原因谗被贬，投江明志，颜延之也同样为人排挤，外放南官，二人相隔数百年，际遇竟相似如斯。张纪的邀请为颜延之宣泄忧愤提供了契机，于是他写下了著名的《祭屈原文》，其中既有“兰薰而摧，玉贞则折。物忌坚芳，人讳明洁”的类比批判，也有“声溢金石，志华日月。如彼树芬，实颖实发。望汨心欷，瞻罗思越。藉用可尘，昭忠难阙”的胸臆申抒。

吊祭屈原之后，颜延之又顺湘水到达零陵。由于祖父颜约曾任零陵太守，因而颜延之对此地有独特感情，又写成《为张湘州祭虞帝文》。写作该文时，他胸中仍有块垒横亘，难以消释，这在他的《和谢监灵运诗》中阐述得明白：“徒遭良时诐，王道奄昏霾。入神幽明绝，朋好云雨乖。吊屈汀洲浦，谒帝苍山蹊。倚岩听绪风，攀林结留荑。”该句中的“绪风”，出自屈原《九章·涉江》的“欸秋冬之绪风”一句，体现出他苍凉的心境。零陵界接始安，这意味此时岭南已近在咫尺。

自元嘉元年（公元424年）秋季到达始安，至元嘉三年（公元426年）被召回建康，颜延之任始安太守的时间不足两年。他在始安期间，主要做了三件有功之事：第一，奖励开荒垦殖；第二，减免税赋；第三，兴学促教。尤其是在兴学促教方面，由于颜延之本身就是当世才子，所以他对这项工作推行起来最是得心应手。他以身作则，在始安城一座高兀石峰之下勤力读书，并写下“未若独秀者，峨峨郛（fú）邑间”的诗句，此峰因此得名“独秀峰”。唐代为了纪念颜延之的功绩，在独秀峰前建立了桂林府学。宋代又在府学原址上，修建“五咏堂”，将颜延之的名作《五君咏》镌于堂中。可以说，颜延之对桂林文运的开辟功不可没。

担任始安太守的经历，淬炼了颜延之的心性。如果说他来始安时还满腔忧愤，那么经过年余的沉潜之后，他已经多了几分从容。这体现在他离任后写的《始安郡还都与张湘州登巴陵城楼作诗》中：“万古陈往还，百代劳起伏。存没竟何人，炯介在明淑。请从上世人，归来蓺桑竹。”他不再把心思放在抒发个体感觉上，而是以百代万古为思考尺度，反思自我持守的价值，探寻自我实现的方法。他认同了陶渊明“解体世纷，结

广西桂林独秀峰下的颜延之读书岩

志区外，定迹深栖，于是乎远”的抉择，生发出“归来蓺桑竹”的归隐渴望。后来他再被免官后，“薄从岁事，躬敛山田。田家节赊，野老为侍。言止谷稼，务尽耕牧”，可视为对隐逸理想的亲身实践。

身处危局，全身而退

元嘉三年（公元426年）二月，南朝宋文帝刘义隆以杀害少帝和庐陵王的罪名，将掌权的徐羡之、傅亮等人诛杀。此二人都是排挤颜延之的权要，他们死后，颜延之随即被召回建康，担任中书侍郎，转太子中庶子，领步兵校尉。他的性情虽然已见沉实，却不改其耿介疏狂的本色。他依然“辞甚激扬，每犯权要”，只不过不再“肆意直言，曾无遏隐”，而是多了些智计手段。世人皆知他喜饮酒，于是他将计就计，把肺腑之言伪装成酒后妄语，令对方事后不好追究。最典型的是他看到刘湛、殷景仁官居要职，意有不平，于是在饮酒之后评论：“天下之务，当与天下共之，岂一人之智所能独了。”刘、殷二人虽面上无光，但也不好当场发作。

终刘宋一朝，朝局诡谲，权争激烈，少有文士能得善终。无论是与颜延之交好的谢灵运、王僧达，还是与他有矛盾的徐羡之、傅亮、刘湛，尽皆死于非命。但颜延之却能以七十三岁的高龄，安然逝去，这除了得益于他自始安归来后的心性改变，还与两个因素有关。

其一，他向来不攀附世族，不参与党争。魏晋南北朝时期，世族专权是普遍现象，皇权对世族始终十分忌惮，双方进行了残酷的斗争。在这种背景下，攀附世族虽然可能是晋升捷径，但也可能随着大船的倾覆，而招致杀身毁家之祸。因此，早在颜延之的曾祖颜含时，就立下了“靖侯家规”。当时东晋权臣桓温曾有意与颜氏联姻，但颜含并未答应，还告诫子孙：“吾家书生门户，世无富贵。仕宦不可过二千石，婚姻勿贪世家。”“仕宦不可过二千石”，意味着追求利禄要适可而止，“勿贪世家”的训诫，则鲜明地表示要对权贵敬而远之。这些家规深深烙印在颜延之的心头，他始终安于做一个冷眼旁观者，从不做夤缘附骥之事。刘穆之素知颜延之的才华，当颜延之的妹妹嫁给了刘穆之的儿子后，刘穆之出于姻亲的考虑，主动推荐颜延之出仕，却被拒绝。颜延之与庐陵王刘义真和出身清流人家的谢灵运虽然交好，但是也只限于志趣往来，并未借文缘而谋爵禄。也许正是因为他向来慎独，才会在一次次被废黜罢免之后，又一次次地重获皇帝的信任。

其二，他仿效魏晋名士，内坚己志，外示放诞，以为全性自保之道。他曾撰写《五君咏》，赞叹竹林七贤中的嵇康、阮籍、阮咸、刘伶、向秀五人，“诗中字字斟酌，可谓传神”。如咏刘伶：“刘伶善闭关，怀情灭闻见。鼓钟不足欢，荣色岂能眩？韬精日沉饮，谁知非荒宴？颂酒虽短章，深衷自此见。”刘伶酷爱“沉饮”，但并非沉溺无度的“荒宴”；颜延之则常

“独酌郊野，当其为适，傍若无人”，二人属同道。对他们来说，饮酒“未必意真在于酒”，而是有着超越世俗的形而上学意义，他们在人间狂歌痛饮，性灵却飘荡在云阿的无限幽远之处，饮酒已然成为他们表达出世心志的方法论。除了树立旷迈高蹈的姿态外，颜延之还声称“平生不喜见要人”，以远离朝堂是非。晋恭思皇后下葬时，需要百官前往吊唁，当邑吏送札前来时，颜延之借酒醉投札于地，说：“颜延之未能事生，焉能事死！”南朝宋文帝刘义隆曾多次宣召颜延之，但他“常日但酒店裸袒挽歌，了不应对，他日醉醒乃见”。

颜延之生平以清介自守，历经坎坷也不改初衷，反而在浮沉际遇中，不断磨炼心志，将其平生所学与世间经历交互补益，写就洞明生命的大文章。他虽深得贵胄权要欣赏，却非夤缘攀附之人；虽常直言不讳，却非以讦为直之徒；虽对外放浪形骸，却非邪僻妄为之辈。在始安任职期间，他并未因此地偏远而废弃职守，而是以身作则，兴学促教，拟定独秀嘉名，为桂林开创兴学读书之风，为广西文明的发展做出重要贡献。

古代广西的天文分野

粤地，牵牛、婺女之分野也。今之苍梧、郁林、合浦、交趾、九真、南海、日南，皆粤分也。

——班固《汉书》卷二十八下《地理志第八下》

天文分野是由古代中国传统星占学衍生出来的一套认知天地对应关系的理论体系。天文分野将周天星区与地理区域相互对应，并与历史事件相联系，建立起可以识别吉凶祸福的天—地—人—事系统。天文分野与四宫二十八宿密切相关。四宫即东宫苍龙、西宫白虎、南宫朱雀、北宫玄武，每宫包含七组星宿。其中，南方七宿为井、鬼、柳、星、张、翼、轸，总称“朱雀”；北方七宿为斗、牛、女、虚、危、室、壁，总称“玄武”。广西之地属于牛、女二宿还是翼、轸二宿分野，自古以来众说纷纭。人们认识广西时，思维中或缺乏星空维度，理解星空秩序可以更深切地体悟广西文明。

地有州域，天有列宿

星空固然蕴含着自然的关联，但人们将人文关系赋予星空后，星空就不再只关乎客观的世界。它变成了一个具有浓重“天下”色彩的符号域，是人间秩序的星空表达，正如《汉书·天文志》所言：“凡天文在图籍昭昭可知者，经星常宿中外官凡百一十八名，积数七百八十三星，皆有州国官宫物类之象。”天文分野是地上分区在星空中的投射，班固曰：“天有列宿，地有州域。二十八舍主十二州，斗秉兼之北斗秉十二辰，兼十二州也。”这种天地对应关系虽是古人仰观天文、俯察地理的自然结果，重点却不在“天文”和“地理”，而在于“仰观”“俯察”这种主观意识活动。如果说分区映射使原本分离的天地关系成为一体，那么人的省察则在天空、地区之中注入了形而上的意义，使本来独立存在的自然空间，演化为人们意识灌注的王道空间。

地理空间存在中心—边缘关系，当天地的对应关系形成后，作为地理秩序映射的星空，也存在着井然有序的类似关系，即以北斗为中心，以斗柄所指的黄道恒星带为四方。这种中心—边缘关系既可以体现为国家内部的区域关系（《汉书·地理志》所做的十二分野，就是与地面政区互为映射的天空圈层结构），也可以体现为天下范畴中的国家或民族关系。《史记·天官书》言：“是以秦、晋好用兵，复占太白。太白主中国，而胡、貉数侵掠，独占辰星。辰星出入躁疾，常主夷狄，其大经也。”司马迁说明了华夏与夷狄在天空中的角色。华夏与夷狄共同组成天下，所谓的“夷狄”之地只是未被中央王朝治理之地而已。这种被预设的观念，决定了夷狄并非华夏的死敌，也并非泾渭分明地被区隔于外，所以它们才在华夏拟定的天文图景中有一席之地。

各州郡所处天文分野的不同，体现出区域发展的不均衡性。对此，学者唐晓峰先生解析道：“分野理论为古人天命观提供了一套具体的地理分区对应体系。分野将天命区域化，天命的影响有时不是对应整个大地人间，而只是对应地上的某一个区域，于是为解释地上政治地理、社会地理的不均衡性（得势与不得势、胜与败、吉与凶）提供了‘天命’的背景和依据。”

牛女翼轸，何者为是

自秦以后，广西的天文分野与列郡沿革、九州名实互相纠缠，难分难解。司马迁在《天官书》中将先秦时的广西列入牵牛、婺（wù）女分野，并归入《尚书·禹贡》中的扬州境域。这应该是不属实的，因为先秦时期中原对岭南了解甚少，《禹贡》中扬州的境域也并不包括岭南，所以司马迁的说法是一种倒记，即后世出现了这种说法，并将它的时间逆推到先秦时期。班固则相对谨慎，只说粤地为“牵牛、婺女之分野”，并将其所覆盖诸郡列出，它们分别是苍梧、郁林、合浦、交趾、九真、南海、日南。其后，《晋书·天文志》提出了不同的说法：“自张十七度至轸十一度为鹑尾，于辰在巳，楚之分野，属荆州。”又由于荆州属翼、轸分野，所以出现了广西北部一带属翼、轸的说法。

唐代僧一行提出山河“两戒”说，认为鹑尾分野覆盖的是“南方负海之国”，具体范围是自房陵、白帝向东，过南郡、江夏，向东到达庐江南部；自彭蠡泽的西部，南经长沙、武陵而越过南纪，覆盖郁林、合浦之地；自沅、湘二江的上流，向西到达黔安东部。此外，富、昭、象、龚、绣、容、白、廉诸州以西的地域，也属于鹑尾分野。这种说法扩大了翼、轸的覆盖范围，将广西的中部地区也涵纳进来。

僧一行认为岭南西部属于翼、轸，东部属于牛、女，又由于《禹贡》载荆州属翼、轸，因而将岭南西部纳入荆州；扬州属牛、女，因而将岭南东部纳入扬州。唐懿宗咸通三年（公元862年），岭南道被划分为岭南东道与岭南西道，东道治广州，西道治邕州，这种地理划分可能与僧一行的星空划分有关。宋代广西地区被划为“广南西路”，成为一个独立的高层政治区域，这又成为广西进一步申明分野的驱动。此后人们在言及广西分野时，尽管仍有争议，如《梧州府志》言：“粤西分野属牛女者同扬州，属翼轸者同荆州，古今聚讼。”但多数已认为广西除梧州地区外，其他皆属翼、轸分野，甚至按照步天之术推算出每个统县政区的历度，“桂林轸十一度，柳州轸三度，庆远轸十一度，思恩、泗城、平乐、梧州轸六度，大江以南、绣江以东入于女，浔州轸十一度，南宁轸十三度，太平轸十三度，思明邻于女，镇安、郁林轸十一度”。

“天下”是一个集地理、天文、时间、人文于一体的概念，它既是物质的也是思想的，具备地理空间、政治空间、人文空间、神文空间等多维属性，是一个充塞着崇高价值的王道寰宇。广西是王道寰宇的组成部分，多数人认为它属于翼、轸分野，对应于《禹贡》的荆州境域，这与其说是一个史实问题，不如说是一个认识再造的问题。将广西纳入翼、轸分野，与时代形势密切相关。

问味文明：广西的饮食文化

楚越之地，地广人希，饭稻羹鱼，或火耕而水耨，果隋蠃蛤，不待贾而足，地势饶食，无饥馑之患，以故呰窳偷生，无积聚而多贫。是故江淮以南，无冻饿之人，亦无千金之家。

——司马迁《史记》卷一百二十九《货殖列传第六十九》

饮食素来被视为人之“大欲”，它在环境与身体之间建立连接，从本性与超越、需求与趣味、常量与变化的彼此作用中，体现出人类与自然的相处方式，内蕴着天地生人的和谐追求。如欲进入广西文化的内核，饮食是一条可取路径。

食物果蔬，品类丰富

在粮食消费方面，秦汉时期广西民众主要吃稻米。桂林资源晓锦遗址出土了已经炭化的稻米三万多粒，经鉴定为粳稻。贵港罗泊湾汉墓出土的《从器志》木牍，其中有“客籼”二字，意为自外地引进的籼稻。对稻米进行加工的情景在出土遗物中较为常见，桂林平乐银山岭汉墓出土的一座方形庭院模型中，就有一人在左厢房内的长方形臼前，双手握杵进行舂击。广西喜食稻米的习惯存留至今，这应当归功于长久以来形成的饮食结构，米饭与菜肴只是被置于一处而非混为一体，稻米作为“饭”比佳肴作为“菜”更令人需要，“饭”是整个饮食结构的基础，而“菜”是人们饮食趣味的延伸。

除稻米外，广西古人还吃其他多种粮食。考古发掘中还出土了芋、甘薯等无性繁殖植物。北海合浦风门岭东汉墓中出土的陶提筒盖上刻有“小豆”字样，梧州大塘3号墓的铜碗中发现了豆。粟也是广西重要的粮食品类，汉武帝元鼎六年（公元前111年）冬，“楼船将军将精卒先陷寻陕，破石门，得越船粟，因推而前，挫越锋”。除了这些常规粮食之外，古人还吃薏米与桄榔面。东汉马援南征时，“常饵薏苡实，用能轻身省欲，以胜瘴气。南方薏苡实大，援欲以为种，军还，载之一车”。桂林平乐银山岭汉墓中的一个陶簋内就装满了薏米。广西西北部的句町县“有桄榔木，可以为面，百姓资之”。北方的粮食作物如麦、粱、稷等尚未在广西出土，但可以推想部分移民南下时，可能随身携带过，只不过没有推广种植。

在肉食方面，广西古人的菜单颇为丰富，主要是猪肉、鸡肉等。猪肉是最普遍的，出土的陶屋模型中，几乎所有家庭都有猪圈，如北海合浦望牛岭1号墓出土的干栏式陶屋模型，楼

广西合浦望牛岭汉墓出土的陶制牲畜圈模型

下为猪圈，其中有肥猪五头。《史记·孝武本纪》载越人“鸡卜法用鸡一，狗一，生，祝愿讫，即杀鸡狗煮熟，又祭”。《异物志》言：“郁林大猪，一蹄有四五甲，多膏。买者以铁椎刺其头，入七八寸，得赤肉，乃动。”考古发掘中还出土了鸭、鹅等家禽陶塑。

当时人也吃羊肉、马肉、牛肉。南越国时期，吕后禁止将母马、母牛和母羊卖给南越，引起了赵佗的激烈反应。在许多汉墓的陶屋模型中，都可以看到羊的身影，它们应当主要用作食用。贵港高中4号墓中出土的三合式陶屋模型中，有三只羊入圈的场景。汉代人喜食马肉，唯不食马肝，汉景帝曾言：“食肉不食马肝，不为不知味。”武帝曾告诉方士栾大：“文成食马肝死耳。子诚能脩其方，我何爱乎！”可见汉人认为马肝是有毒的。牛因为有耕地的用途，所以古代广西平民是难以吃到牛肉的。最昂贵的肉食可能是桂蠹（dù），赵佗归汉之后曾向汉文帝进献“桂蠹一器”，桂蠹是“桂树中蝎虫也”，“其大如指，色紫而香辛”。

海鲜对广西人来说更易获得。常见的海鲜有鱼、虾、蟹、蛤、蚶、螺等，《史记·货殖列传》载南越“饭稻羹鱼”“果隋蠃蛤”，《史记·货殖列传》言：“楚越水乡，足螺鱼鳖，民多采捕积聚，棰叠包裹，煮而食之。”《盐铁论》则评论：“越人美蠃蛤而简太宰。”北海合浦堂排汉墓出土的一个陶罐中装满了蚌壳。贵港罗泊湾1号汉墓木牍上，也有用鱼、蟹作为葬品的记载。南方喜食海鲜而北方喜食畜肉，这揭示出至迟在汉代，南、北饮食的分野已经形成。

果蔬方面，广西人的选择也较为多样。最著名的水果当然是荔枝，《三辅黄图》载汉武帝“破南越，起扶荔宫，以植所得奇草异木”，“龙眼、荔枝、槟榔、橄榄、千岁子、柑橘皆百余本”。汉顺帝时王逸作《荔枝赋》，称赞荔枝为“卓绝类而无俦，超众果而独贵”。仲长统曾借荔枝来批评时政：“今人主不思甘露零、醴泉涌，而患枇杷、荔支之腐，亦鄙矣！”《异物志》还记载汉武帝在上林苑种植香蕉。汉武帝平南越后，岭南岭北的市场障碍大大减少，他在岭南设置“橘官长”，水果大量北运，达到了岭北“民间厌橘柚”的程度。苑囿是缩微版的权力版图，岭南果木在其中栽培，折射的是大一统的政治格局。余甘子在广西十分普遍，《异物志》载：“余甘，大小如弹丸，视之理如定陶瓜，初入口苦涩，咽之，口中乃更甜美足味，盐蒸尤美，可多食。”梧州鹤头山2号汉墓出土的一个铜碗内盛有28片残缺板栗，贵港罗泊湾1号墓出土了西瓜、甜瓜种子和葫芦壳。此外，广西人能够吃到的还有柚子、杨桃、李子、芭蕉、仁面子等果品。甘蔗虽然不属于水果，但也是广西常见的草本食用植物。

蔬菜主要有冬瓜、黄瓜、木瓜、葫芦、葱、韭菜、白菜、竹笋、芹菜等。贵港罗泊湾1号墓出土了黄瓜、木瓜的种子。《吕氏春秋·本味》提到“越骆之菌”，高诱注释：“菌，竹笋。”

众法烹制，饮用酒浆

广西汉墓中出土了不少炊器，用于煮食的主要是鼎、锅，不少出土的鼎底有烟炱（tái）痕迹与火烧裂纹，有的鼎身还有修补迹象，可见当时其使用率不低。用于蒸食的主要是甑、釜和鍪（móu），甑、釜二者往往搭配使用，釜中添水，甑中盛米，甑置釜上，以火煮水将食物蒸熟，其成品可以是米粥也可以是米饭。鍪在咸阳秦墓、四川巴人墓和广州南越王墓中时有出土，广西的鍪可能是秦始皇南攻百越时，被军队和移民带到岭南的，移民“与越杂处十三岁”，鍪因此被推广开来。

贵港罗泊湾1号墓出土的木牍中，记载了酱、胥、菹等调味菜。酱包括本地产的肉酱、鱼酱、蟹酱，罗泊湾1号墓中出土的遣册中记有“缶胥”，即用缶装的蟹酱。菹，则是腌制的酱菜，罗泊湾1号墓出土的封泥匣上有“笱（sǔn）菹（zū）”，即以竹笋为原料的酱菜。外来的则有枸酱，《汉书·西南夷两粤朝鲜传》载：“南粤食蒙蜀枸酱。”文献中还记载了“渍”这种方法，用来调和香辛味道，桂蠹就是“渍之以蜜”，然后才食用的。对于海鲜，当时已经用以做鲞，即《史记·货殖列传》说的“鲞鱼”。广西人可能已经学会制作腊肉，以应对炎亢暑湿的天气。《史记·货殖列传》载“领南、沙北固往往出盐”，由于岭南地区产盐，所以免不了用它来制作食物，“脯”就是盐渍之后晒干的咸肉。

有些珍贵的食物在烹制时还会用到蔗糖，《异物志》载：

“迮取汁如饴饧，名之曰糖，益复珍也。又煎而曝之，既凝而冰，破如砖棋，食之，入口消释，时人谓之石蜜也。”这种食物平民是难以消费的，正如考古学家张光直先生所言，饮食中的经济壁垒比生与死、神圣与世俗之间的壁垒更难跨越。同样的情况还发生在饮食器具上，西汉初期的广西工匠以独特的錾刻花纹工艺，施用于壶、食盒、食案、承盘、酒樽等器具上，以满足贵胄富商的使用需求。至于那些造型华美的域外金、银酒器，波斯陶壶，罗马玻璃碗等，其消费对象显然更非经济实力一般的平民阶层。

在广西中上层人士的日常饮食中，酒是不可或缺的。《交州外域记》中记载广西本地已有酿酒作坊，贵港新村22号东汉墓出土的红陶灶台，就被认为是用来酿酒的。几乎每座广西汉墓中，都有酒器出土：按材质分，包含铜、漆、陶、玉、玻璃、木等多种；按类型分，主要有盛酒器如罍、盉、壶、钫、尊、瓿，温酒器如樽、鐎壶，舀酒器如勺，饮酒器如杯、卮、耳杯。《交州外域记》记载：“越王令二使者典主交趾、九真二郡民，后汉遣伏波将军路博德讨越王，路将军到合浦，越王令二使者，赍牛百头，酒千钟，及二郡民户口簿，诣路将军，乃拜二使者为交趾、九真太守，诸雒将主民如故。”广西的酒应当是米酒，越王所遣至合浦的两位使者，之所以能拿出“酒千钟”，意味着本地的粮食生产已达到一定规模。交趾在汉代是著名的粮食产区，《后汉书·循吏列传》载：“（合浦）郡不产谷实，而海出珠宝，与交趾比境，常通商贩，贸籴粮食。”一

广西合浦汉代文化博物馆馆藏西汉深蓝色玻璃杯

旦交趾粮食不能输入，竟会导致“贫者饿死于道”。所以酒的产量侧面体现出的是粮食的产量。

宴饮往往是展示权力的手段。时至今日，鸿门宴的故事已广为人知，在汉武帝时，南越国也上演过一出“鸿门宴”。当时汉武帝派遣使者南下，谕南越王和太后入朝，遭到了丞相吕嘉的反对。南越王和太后担心吕嘉先下手为强，于是摆酒设宴，希望借助汉使的威严，在宴会上杀死吕嘉等人。在落座时，使者面向东方，太后面向南方，南越王面向北方，吕嘉和大臣面向西方。这种座次内含着微妙的政治安排。汉代宴席以

中国国家博物馆馆藏西汉铜卮，出土于广西贵港

东向为尊，鸿门宴时项羽就是向东而坐，汉武帝时期的丞相田蚡“尝召客饮，坐其兄盖侯南乡，自坐东乡”，他的解释是因为自己是汉之丞相，地位尊贵，所以面东而坐。这次南越宴会上，汉使面东而坐，吕嘉遵从安排与使者对面而坐，在宴席形势上落于下风。吕嘉事先指使其弟带兵驻于宫外，导致汉使投鼠忌器，不敢下令诛杀。最后吕嘉像当年的刘邦一样全身而退，导致了后续一系列的兵戎相见。

秦汉时期广西人除了饮酒之外，还喝其他饮料。如浆，即“米汁相捣也，亲水调面粉，俗亦称浆”。如薏苡水，可以使人排除湿气，体健身轻。再如铁冬青水，贵港罗泊湾1号墓和合浦堂排汉墓中均发现了铁冬青叶，泡水后饮用，有清凉解暑之效。

饮食之中，内寓大道

秦汉时期广西的饮食，不只透射出五岭南北的经济交流，还寓有文化观念变迁的内涵。《礼记·王制》言："中国戎夷，五方之民，皆有性也，不可推移……南方曰蛮，雕题交趾，有不火食者矣。"广西人用火进行食物烹制，从石器时代就已开始，有些食物如鱼生不用火炙，可能与食者对鲜嫩口感的追求有关。但在当时的中原人看来，这种"不火食"的吃法，容易令人想起圣王作制之前人们"饮其血，茹其毛"的状态，是"蛮夷"的一种文化表现。这其实是基于自我中心主义的想象。随着岭南、岭北饮食文化交流的不断深入，这种标签才逐渐被撕去。

从中国医学体系的观点来看，每种食物都有其药用价值，如橘子皮可加工为陈皮，薏苡可去暑湿，龟类可以滋阴补阳等。其中可作为昂贵药材的，有蛇胆、紫贝、肉桂等。《淮南子·精神训》："越人得髯蛇，以为上肴。"除了以蛇肉为佳肴外，人们还利用髯蛇膏油疗疮，以蛇胆来祛风解热、行气祛痰。紫贝曾作为贡品，被赵佗呈进给汉文帝，具有治疗"小儿斑疹，目翳”的功效。肉桂更是珍贵，《南方草木状》载：“桂出合浦，生必于高山之巅，冬夏常青。其类自成林，间无杂树。”被炮制为药材后，肉桂具有温中补肾、散寒止痛的作用。“药食同源”的观念必定对广西饮食产生了影响，促使人们重视进食时的阴阳和谐、冷热均衡，也以适度与节约自警，这些观念又对当时广西人的世界观和价值观产生形塑作用。

“伏惟尚飨”，饮食具有打破时空界限的能力。赵佗之所以对吕后禁止牲畜输入反应激烈，其理由主要是“马、羊、羊齿已长，自以祭祀不修，有死罪”。鸡、狗肉被越巫视为作法时通鬼神的媒介。至于家祭祖先时所供奉的饮食，则与民众的心灵生活关系密切，《礼记·礼运》言“夫礼之初，始诸饮食”，屈原在《招魂》中详尽地罗列美食，吸引灵魂回归家族，满足口腹之欲。这体现出时人生命观念的浑融性。他们认为自己处于一个人鬼共生的世界中，饮食是一种有效的沟通渠道，越是精细的食物就越能拉近人鬼之间的距离，若是只给鬼享用生食，那就说明献祭者与它的距离较远。饮食安排的区别，体现出人们与超自然事物相处时的分寸，根据不同的人鬼关系，设置相应的祭祀饮食，才是“大祥”之举。

秦汉时期广西人的饮食品类丰富，烹法多样，深刻影响了后世广西的饮食结构。对食物的取材与烹制，既体现了广西的地区特性，也体现出经济互通、文化交流和民族融合色彩。饮食在滋养文化之前必须先滋养口腹，因而我们可以通过人的口腹抵达文化深处。秦汉时期广西饮食中的阴阳、均衡、调和等观念，在利群善生的同时，也哺育了时人的世界观、人生观和价值观。饮食文化是中华优秀传统文化的重要组成部分，它兼具形而下与形而上的意义。以食为媒，可以让祖先的智慧继续在我们的一饮一食中流淌，在唇齿留香间完成跨越千年的对话，滋养生命，问味文明。

广西的动物及图腾崇拜

谨北面因使者献白璧一双，翠鸟千，犀角十，紫贝五百，桂蠹一器，生翠四十双，孔雀二双。昧死再拜，以闻皇帝陛下。

——班固《汉书》卷九十五《南粤传》

田祖有神，山林有情，动物与人类生活于同一片空间，有部分动物曾被广西先民崇拜有加。图腾代表着特定民族文化的核心内涵和心理界限，在共同尊奉的图腾中，隐藏着各民族交往交流交融的历程。

众生有灵，图腾崇拜

古人认为天地之气，化成万物，或凝形为人，或赋生为物，于是人与动物皆有灵性，在天地之间交相感应。动物崇拜是对人类自身存在的反照，反映出人类对宇宙苍生的多元理解，折射出人与自然共生的相处方式。丰富的文献与考古材料，已揭明广西先民对动物的崇拜。

犬是重要的崇拜对象。犬被驯化之后，就成为人类禀赋的重要补充，在人的感官、机能的极限之外发挥影响。在崇左花山岩画中，包含不少犬类图像，其画风古朴粗犷，姿态基本分为站立和奔跑两种。多数犬类图像从属于画像组合，如花山第9组中部的一组岩画，除了犬外，还有人、铜鼓、编钟、扁茎短剑、环首刀等图像。犬入画，体现了它们与人类的密切关系。在万物有灵观念的影响下，犬不再单纯是被利用的异类，它已经超越工具属性，被赋予了文化意义。它不但是有形边界的卫兵，还守护着人类和未知世界的藩篱。汉代的越巫以犬为媒介，祈求神明的布施与恩赐。壮族村寨流行在村口或门前立

广西崇左花山岩画中的犬类形象

石狗以辟邪。广西境内的苗族是汉代五溪蛮的后裔，他们崇拜的“槃瓠”，其实就是高辛氏所蓄之犬，“其毛五采”，神通广大。

南方暑湿，为蛙类的滋生胜域。葛洪曾记：“越人弃八珍而甘蛙黾。”但对百越人来说，蛙绝非只是一道佳肴，它还有更丰富的文化寓意。在春秋越国军队中，蛙是作为代表战意高涨的符号而被渲染、宣传与礼敬的。《吴越春秋》曾记载“越王式蛙”的故事，越王勾践意欲攻打吴国，担忧军士不竭力尽忠，在行路途中看到一只青蛙鼓腹而怒，气势汹汹，于是扶轼向它致敬。军士疑惑：“王为什么要向蛙致敬呢？”勾践回答：“我希望大家士气高昂，但至今未能如愿。蛙是无智之物，遇敌却能怒气勃发，所以我礼敬它。”军士闻言，于是竞相效命。

青蛙崇拜的根源就是生产，既包括作物的生产，也包括人类的生产。广西先民对蛙的崇敬，首先与其稻作生产方式密切相关。“滮池北流，浸彼稻田”，稻类生长仰赖水。青蛙对天气异变十分敏感，每逢降雨前夕，就群叫不息，对今人来说，这是物候常识，但在古人的原始思维中，就像鸡鸣之后日出所以日出是由于鸡鸣一样，甘霖普降可能是青蛙鼓噪的结果。于是人们将青蛙奉为神明，顶礼膜拜。此外，青蛙繁殖能力很强，就像岭北人对螽斯的歌颂一样，青蛙也因此引发了广西先民的崇拜，因此，骆越铜鼓中多有青蛙图纹和立体青蛙形象，左江花山岩画上也绘有不少举手蹲足的人像，这是以拟形的方法来表达对蛙的崇拜。围绕青蛙崇拜，壮族还形成了“蚂蜗节”，跳蚂蜗舞，建蚂蜗坟。

鸟也曾引起广西先民的崇拜。在天文四象之中，南方被称为“朱雀”之地，其中就寓有鸟崇拜的因素。《淮南子·原道训》言：“夫能理三苗，朝羽民，从裸国。”高诱注释：“羽民，南方羽国之民。”意指以鸟为崇拜对象的先民。人们从花山岩画中曾发现一幅鸟类图像。1972年出土的西林普驮铜鼓上，刻绘有清晰精美的羽人纹，有的是三个羽人共舞，有的则是二至三个羽人与飞鸟共舞。1976年在贵港罗泊湾汉墓出土的铜鼓上，鼓面主题纹饰为翔鹭衔鱼纹，腰部饰羽人舞蹈纹。以鸟羽戴于头上，可能是进行装饰，《吴越春秋》记载“复增越之封，赐羽毛之饰”。还有实施模仿巫术的可能，借羽毛之力获得与天沟通之能。古人将天当成拟人化的超能实体，鸟因其翱翔长空的能力，而被认为能与天进行沟通，正如张华《博物志》所言：“越地深山有鸟如鸠，青色，名曰冶鸟……越人谓此鸟为越祝之祖。”南越王宫署遗址中出土了陶鸠杖首，这件文物可能与岭南的古人鸟崇拜有关。赵氏利用南越人心理来展示王权威严，这可视为赵佗和集百越的一个侧面例证。

龙蛇混同，文化融合

百越人有崇蛇的传统，在长江以南地区已发现的众多蛇纹器物可为佐证。广西先民作为百越人的支系，也留下了丰富的蛇崇拜印记。桂林恭城秧家村出土的春秋尊，颈部和腹部分别装饰四组以蛇斗青蛙纹为主、云雷纹为底的纹饰带。今日广西的“三月三”节日，在左江一带和大明山一带又称“三月三，

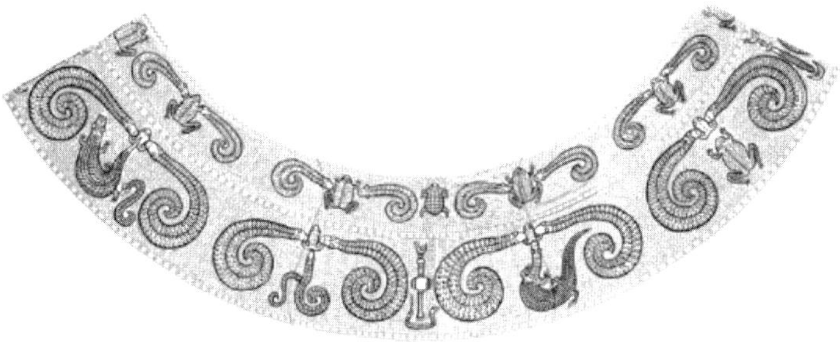

广西恭城秧家村出土的春秋尊上的蛇纹

龙拜山”，一些学者认为“三月三”其实就是祭祀蛇神的节日。广西不少地方都有人蛇婚媾的传说，如壮族的蛇神故事，马山的《大蛇娶美女》，陆川、博白的《三妹嫁蛇》，北流的《蛇郎》，容县的《蛇王精》，平南的《七姐嫁蛇》，荔浦的《七妹与蛇郎》，崇左的《蛇郎》等，都是广西崇蛇文化的见证。这些传说的共性是蛇与人结合后孕育后代。从现代生物学的角度看来，蛇为卵生，人为哺乳动物，二者结合无疑是荒诞不经的。但在古人眼中，这种荒诞恰可体现造物之神异。在事物之间建立普遍联系，是先民理解世界的有效路径，人与万物、生世与幽冥之间没有不可打破的壁垒。

问题的关键是为何先民选择了蛇？广西先民并不只崇拜蛇这一种生物，他们还有蛙、鸟、犬等类型的崇拜，每种崇拜都有其特定的物质原因。蛇之所以被崇拜，可能与百越区域多水泽，蛇虫易为害有关。对百越人喜文身的习俗，汉代许多记载都解释为避蛇类之害，《淮南子·原道》载“九疑之南，陆事寡而水事众，于是人民披发纹身，以像鳞虫”。高诱注：“文身，刻画其体内，点其中，为蛟龙之状，以入水蛟龙不伤也。”刘向《说苑·奉使》言“剪发文身，灿然成章，以像龙子者，将避水神也”。《汉书·地理志》言“文身断发，以避蛟龙之害”。这些说法透露出蛇类生物对渔业经济和渔民生计的干扰作用，人们只好通过象形的方法，希冀蛇误认他们为同类，以此来避免伤害。

《周礼》言：“川泽，其动物宜鳞物……其民黑而津。”这种说法在水土、动物、人类之间建立了共生关联。由于百越人崇蛇的说法盛行，后世甚至更进一步，将百越人当成蛇的后代，如许慎所言："南蛮，蛇种，从虫、亦声。"这种说法一方面忽视了南方民族图腾崇拜的多样性，另一方面透露出中原对周边民族的"他者"认知，这种认知带有浓重的中心本位和优劣评判。对于崇蛇的百越人来说，蛇元素经过长期传承与沉淀，已经深深嵌入其文化理解之中。当中原力量南下时，百越人需要把握触变与持守之间的平衡，其做法是刻意放大蛇崇拜，将蛇与北人的图腾糅合起来，进行有利于自身固有传统的解释。最具代表性的例子就是他们把蛇、龙混为一谈。

无论是在时空内涵还是文化属性上，龙与蛇都具有质的差异。龙是古人将实有生物与瑰丽想象相结合而制造出来的神圣物种。早在新石器时代，就已出现了蚌壳龙的形象。战国时期长沙子弹库楚墓中，发现了《人物御龙图》。汉代壁画、帛画、画像砖中更有不少龙的形象。这些龙的形象是人们将各种现实动物捏合的产物。龙的形象被创造出来后，开始被用于解释天象与人事关系，《周易》乾卦通过东方苍龙七宿的时空变化，来隐喻君子进德修身的阶段与维度。龙能腾化虚空，靠的不是肉翅扇动而是云雾托举，所以龙总是在云中若隐若现，从不明白展露真容。这种形象正适合用来代言天命的缥缈、道德的玄妙、上意的难测，是中国古代"隐权力"的绝佳象征。至东汉许慎撰《说文解字》时，正式阐明龙的三重含义：鳞虫之长、星宿之象、变化之奥。蛇显然不具备龙这种兼容并包、变化万端、祥瑞祯吉的特点，它只是常见的现实生物，在大野泽国中随处安家，与人类发生着实实在在的联系。蛇固然也有灵性，但一遇上龙的光辉，它的神异程度就暗淡无比了。

传说黄帝曾乘龙升天，于是龙成为典型的中华民族精神符号。早期中华文明经历了从“满天星斗”到“月明星稀”再到“皓月当空”的过程，这其实也是民族融合不断加强的过程。《大戴礼·五帝德》载：“颛顼乘龙而至四海，北至于幽陵，南至于交趾，西济于流沙，东至于蟠木。”乘龙至于四方，可以视为华夏文化向四方的流布。文化流布从来不是单向度的，双方的互融时常发生。动物通常具有重要的地方属性，但龙显然突破了“地方性”的限制：它是众多地方动物的聚合体，龙图腾则最终被众多民族共同尊奉，成为整个中华民族的“始祖”式精神象征。龙被广西先民接受之后，作为象征多元融合的符号频繁地发挥作用。

岭南先民会有意利用“龙变”的特征，模糊龙、蛇之间的界限。著名的龙母传说就讲述了一条小蛇最终化为神龙的故事。模糊界限的目的，是在蛇、龙之间构建出进阶、转化路径，将蛇崇拜糅入龙崇拜之中。这种建构反映出“纳四裔入中华”的民族融合轨迹：有利于处于边缘的南方民族，通过文化嫁接、糅合、转义来融入中华民族；也有利于今日的我们理解中华民族多元一体格局的丰富内涵。

大象退却，丛林悲歌

作为惹人注目的大型动物，象是人们想象南方时的重要意象。《孟子》言：“周公相武王诛纣……驱虎、豹、犀、象而远之，天下大悦。”岭南相对于岭北，就如同象相对于人一样，总是笼罩着苍莽蛮荒的气质。广西向来是象的栖息地，在甑皮岩等新石器时代遗址中，象的骨骸多有发现。传说舜帝去世后，葬于苍梧，“象为之耕”。进入信史时代后，关于广西多象的记载不绝于书，《淮南子》载：“南方阳气之所积，暑湿居之……其地宜稻，多兕象。”秦始皇南攻百越的原因之一，就

南越王墓出土的金扣象牙卮

是“利越之犀角、象齿、翡翠、珠玑”。《盐铁论》则言：“珠玑犀象出于桂林，此距汉万有余里。”无论是秦人南取大象，还是百越人北献象牙，都是在逾越政治地理界限，大象成为跨区域政治联系的象征。

象的存在需要整个生态系统的支撑，它的理想居处是临近水源的空旷森林。由于岭北地区的持续开发，象的生存空间不断缩小，至迟到汉代，象已经主要生活于岭南地区，桓宽言：“夫犀象兕虎，南夷之所多也。”许慎《说文解字》在解说“象”字时，更是直接将它指为“南越大兽”。西晋平吴之后，“南越献驯象，诏作大车驾之，以载黄门鼓吹数十人，使越人骑之”。相比于汉晋的郡县地区，象在南海区域更为常见。东汉时期九真郡赵妪叛乱，“常著金褐齿，徙聚象头”。杨孚《异物志》言：“金邻一名金陈，去扶南可二千余里，地出银，人民多好猎大象，生得乘骑，死则取其牙齿。”《吴时外国传》记：“扶南王盘况少而熊杰，闻山林有大象，辙生捕取之，教习乘骑，诸国闻而伏之。”

宋代以后，关于广西象的记载已经很少，周去非曾记载宋代广西与交趾夹界地带，仍有大象生存。史书中关于象群在广西的最后一次大规模出现，是在明洪武十八年（公元1385年），“十万山象出害稼，命南通侯率兵二万驱捕”。今日我们以生态文明建设的视角，来回看大象退出广西的过程，至少可以归纳出三个原因。第一，气候在公元1230年以后明显变干燥，使象的适居环境发生改变。第二，人类的开发活动侵削了象的栖居地，大象的退却是人类区域开发增强的反映。第三，人类无休止的狩猎活动使大象锐减。象牙在当时是奢侈品，汉武帝时令诸侯贡献酎金，郁林郡就利用“象牙一，长三尺已上，若翠羽各二十”来充当酎金。除象牙外，烤象鼻在当时是一道美味佳肴，这也是大象遭到残忍杀害的又一原因。

广西象消失之后，南方的藩属国经常向中央王朝进贡驯象。驯象经过训练之后，可以进行各类娱人表演，所以经常出现在历代职贡图中。职贡图是中国绘画的重要主题，它既表现了各朝代藩属来朝的实际景象，也夹杂了写意成分，把留存在历史中的知识、记忆和想象，掺入看似写实的绘画作品中。职贡图中的各国使者与象、狮、犀、孔雀等珍禽异兽一起，代表了人与动物共同落实了万国来朝、一视同仁的古典理想。这些藩属国中，交趾尤喜进献驯象，以至于令宗主国不堪重负，宋真宗时曾在交趾使者回国后，将驯象放生于钦州海滨。公元1160年，宋高宗更是直接谕令交趾，“今后不必以驯象入献”。

秦汉时期广西先民以万物有灵的观念来对待动物，对犬、蛙、鸟等皆行崇拜。万物生灵皆化育于自然，本与人文创造无关，但一旦被观察、命名并记入文献，它们就具备了自然与文化的双重属性。人们看待动物的过程，隐含着人类作为评价者的角色，无论是百越人自身对蛇的看法，还是将蛇、龙混同的举动，都受到文化动力的驱策。象作为一种庞然大物，它本身既是一种生命事实和政治象征，又反照出人类处理与自然关系的态度。随着区域开发活动的深入，象的生存空间被一再压缩，最终完全退出广西境域。通过透视历史时期人与动物的关系，我们可以对当今的生态文明建设生发出更加深刻的理解与认同。

古人如何想象广西？

南方暑湿，近夏瘅热，暴露水居，蝮蛇蠚生，疾疠多作，兵未血刃而病死者什二三，虽举越国而虏之，不足以偿所亡。

——班固《汉书》卷六十四上《严助传》

秦朝到晋朝的人们对广西的认知，是利用主观因素来解读客观风土的产物，这导致史书中看似平实的叙述，往往内蕴着人的观念、定位与评判。

暑湿居之，犹多毒螫

时人对广西最直观的感觉就是暑湿。西汉初期，吕后采取“别异蛮夷”的政策，激起了赵佗的称帝之举，于是她派遣隆虑侯周灶攻打南越，“会暑湿，士卒大疫，兵不能逾岭”。攻打南越应在相对干燥的冬季，吕后无疑选择了错误时机，对当时的汉军来说，山岭是有形阻碍，暑湿则是无形阻碍。双方僵持岁余之后，吕后去世，汉朝罢兵，司马迁将暑湿看作此次阻挡汉军的关键因素，评论道：“隆虑离湿疫，佗得以益骄。”有趣的是，在此前秦朝对百越人漫长的攻打过程中，却未出现因暑湿而大规模损兵折将的情况。

汉文帝继位后，讲信修睦，使赵佗再归中央。赵佗在给文帝的信中为自己称帝开脱，其中一个原因是“南方卑湿，蛮夷中间，其东闽越千人众号称王，其西瓯骆裸国亦称王”。“卑湿”不完全是对客观地理的描述，早在荀子的论述中，“卑湿”就有人文含义，他在《修身》中说“卑湿重迟贪利，则抗之以高志”。此处的“卑湿”是在形容人的气性。而赵佗所言的“卑湿”，“卑”是在与汉朝关中“扼天下之亢而拊

中韋昭曰越邑今鄱陽縣也積食糧迺入伐材治船邊城守候誠謹

越人有入伐材者輒收捕焚其積聚雖百越奈邊城何

○宋祁曰浙本奈字上有無字且越人緜力薄材孟康曰緜音滅薄力也師古曰緜弱也言

其柔弱如緜讀如本字孟說非也不能陸戰又無車騎弓弩之用然而

不可入者以保地險而中國之人不能其水土也師古曰能

堪也臣聞越甲卒不下數十萬所以入之五倍迺足師古曰不

下言不減也漢軍多之五倍然後可入其地也輓車奉饟者不在其中師古曰輓引也

音晚饟亦餉字南方暑溼近夏癉熱師古曰癉黃病音丁幹反暴露水居蝮

蛇蠚生師古曰蠚毒也音壑○宋祁曰浙本生作蟲疾癘多作○宋祁曰景本癘作災

兵未血刃而病死者什二三雖舉越國而虜之不足以

《汉书》中关于南方湿热的记载

其背”的形势对言，“湿”虽是南越真实的风土展现，但又说此地是“蛮夷之间”，不足以与中原文化抗衡。所以，赵佗称“南方卑湿”，是在通过地理属性来表达自居下位的示弱之意。

汉武帝元鼎五年（公元前112年）夏，汉武帝欲征伐南越。淮南王刘安以“南方暑湿，近夏瘅热”谏言，希望朝廷弭兵。当时正处夏季，岭南确实暑湿正盛，但在当时许多诸侯已被除爵和杀身的背景下，刘安可能还有以暑湿恫阻中央军队进入淮南国的考虑，所以他是把暑湿当成政治工具来使用的。刘安还阐发了南方风土的多维构成：“南方阳气之所积，暑湿居之。其人修形兑上，大口决眦，窍通于耳，血脉属焉。赤色主心，早壮而夭。其地宜稻，多兕象。”这种解释当然是武断的，但更需注意的是其中隐含的文化势差观念。刘安在东、南、西、北、中五方与木、火、金、水、土五行，以及气候、居民、植物、动物之间建立关联，认为“暑湿”是南方整体“土性”的一个要素，使它成为标识文化南方的一个工具。

汉武帝平南越之后，在其故地上设置十郡，这种格局在很长时间内都没有变化。在西汉成帝时期，中原领军将领已经明确认识到，攻打暑湿之地应该避开夏季，“以秋凉时入”。由于汉廷的势力的向南推进，暑湿的范围也向南扩展，东汉顺帝时李固反对出兵平定日南、象林区怜等人的暴动，理由之一便是“南州水土温暑，加有瘴气，致死亡者十必四五”。至南朝时期，在承继刘安“早壮而夭”表述的基础上，时人明确地将南、北风土对举：“北方高凉，四十强壮；南方卑湿，三十已衰。”

暑湿之外，广西还被认为多有毒螫。刘安曾描述南越环境，“暴露水居，蝮蛇蠚生，疾疠多作，兵未血刃而病死者什二三，虽举越国而虏之，不足以偿所亡”。王充则径将阳气称为“毒”，“太阳火气常为毒螫，气热也。太阳之地，人民促急。促急之人，口舌为毒”，进而说：“楚越之人促急捷疾，与人谈言，口唾射人，则人脤胎肿而为创。南郡极热之地，其人祝树树枯，唾鸟鸟坠。”广西就属于阳气积聚之地，当地的“含血之虫有蝮蛇、蜂、虿，咸怀毒螫”。与广西同属交趾刺史部的交趾，也是毒气弥漫之地，马援曾回忆，“当吾在浪泊、西里间，虏未灭之时，下潦上雾，毒气重蒸，仰视飞鸢跕跕堕水中”。对毒气的痛苦记忆在北人之间长期流传，南方在很长时间内被视为毒地。直到民族融合、文化交流相对充分时，误解才渐渐解除。

自岭以南，皆多瘴疠

在秦朝到晋朝的人们的眼中，岭南是著名的瘴地。瘴气原写作“障气”，《淮南子》言：“障气多暗。”“障”是边疆军事设施，所以“障气”一词，天然地就透露着边荒色彩。早在先秦，就出现了“障塞”“边障”“亭障”等一系列与边界、边疆有关的词汇，均指边疆军事要塞。司马贞《史记索隐》记：“旷哉绝域，往往亭障。”《汉书》韦昭注曰：“中国为内郡，缘边有夷狄障塞者为外郡。”如果说“障塞”是边疆的有形界限，那么“障气”则是边疆的无形界限，它们都具有典型的边境地区特征，蕴含着中原人群向边疆迁移时的受阻体验和各民族交往交流交融时的复杂心情。

东汉初期已经出现了“瘴气”的说法。朱勃曾言：“（马援）出征交趾，土多瘴气，援与妻子生诀，无悔吝之心，遂斩灭征侧，克平一州。”“瘴气”一词在中医古籍中始见于东汉的《神农本草经》：“升麻，味甘、平。解百毒，杀百精老物殃鬼，辟瘟疫、瘴气、邪气、蛊毒。久服不夭。”晋代以植物为瘴气命名，《南方草木状》载：“芒茅枯时，瘴疫大作，交广皆尔也。土人呼曰黄茅瘴，又曰黄芒瘴。”

作为名词的“瘴气”有地理、医学、文化三重含义。地理方面，它表达的是受阻体验。就“瘴气”的医学含义来说，它所包含的疾病是多样的，《岭外代答》说：“南方凡病，皆谓之瘴。”瘴病是包括热带病、地方病、人体寄生虫病、水源污染、大气污染所致疾病在内的复杂疾病的统称。所以，瘴病不只是受到暑湿浸染的结果，它固然与暑湿有关，但暑湿本身不是瘴气，只有当它进入人体并导致疾病后，才适合将致病的原因称为瘴气，正如隋代医学家巢元方所言：“此病生于岭南，带山瘴之气……皆由山溪源岭瘴湿毒气故也。”文化方面，“瘴”字可能是因字义特殊而从“障”中分化而来，它固然有助于人们直观地理解南方风土的特点，但由于“瘴”字采用了“疒”这一偏旁，“章”与“疒”结合并固定于人们的认知中，直接导向了“疾病”的寓意，使人们难以再突破对“瘴”的思维想象，难以挖掘它在疾病外的内涵。这提示我们，当人们通过名词、概念来认识南方时，与其说瘴气是客观的环境事物，不如说是地理环境在人类意识中的抽象与变异。中原人群将自然环境问题转换为文化问题，进而以此对南方文化进行定位与评判。在被评判时，广西的先民往往是失语的，我们看不到对他们言论的记载。

瘴气名为“气”，但不一定真的就是气，它更可能是在表达难以目见和预防的病原，如寄生虫。未知引发恐惧，也许正因瘴气难以亲眼观察，所以晋代之后的人们发明了“瘴母”。刘恂《岭表录异》载：“岭表或见物自空而下，始如弹丸，渐如车轮，遂四散。人中之即病，谓之瘴母。”与其说“瘴母”是真实存在的，不如说它是被制造出来缓解恐惧的，因为“瘴母”有形，可被看到，也就方便人们躲避和应对。后人继续发挥，还给出了破解“瘴母”的方法，邝露《赤雅》称：“当瘴气升起的时候，远远望去，有一道气体向上冲起，如柱子一般。不久之后，气柱就四下散开，底部如黄色的雾气，空中的部分则像弹丸，逐渐扩散成车轮大小，并攻击四周人群。被瘴气袭中的人，会感到胸闷不适，有的会有疯症症状，有的则会因过度出汗而死。如果人趴在地上，任由瘴气自行散去，就可以避免受到伤害。”不难看出，“瘴母”之说是荒诞不经的。

汉晋时期，瘴气致死的说法屡见不鲜。《后汉书·刘虞公孙瓒陶谦传》记载他前往日南前祭辞先人时说“日南多瘴气，或恐不还”。《三国志·潘濬陆凯传》华覈之言：“苍梧、南海，岁有暴风瘴气之害，风则折木，飞砂转石，气则雾郁，飞鸟不经。”《南史》载梁朝杜子雄率军讨伐叛军，士卒中瘴毒，“至合浦，死者十六七”。《北史》记柳述被贬岭南，“在龙川数年，复徙宁越，遇瘴疠死”。瘴气往往与特定风土相结合，这既是一种疾病地理观，也反映了时人对岭南的认识和理解。

如何避免瘴病呢？汉朝到晋朝的人至少有两种方法。一是住在高处躲避。既然瘴气与暑湿之气郁结有关，人们自应选择高垲之地居住，“汉世交州刺史每暑月辄避处高，今交土调和，越瘴独甚”。《吴录·地理志》载：“苍梧高要县，郡下人避瘴气，乘筏来停此，六月来，十月去。”广西民居中的干栏式建筑，下部悬空，通风避潮，也有防瘴的功能。二是吃特定的食物。《后汉书·马援列传》言：“初，援在交趾，常饵薏苡实，用能轻身省欲，以胜瘴气。”李贤注引《神农本草经》：“薏苡味甘，微寒，主风湿痹下气，除筋骨邪气，久服轻身益气。”此外，吃槟榔和饮酒可能也有防瘴的功能。

卑湿暑热，想象广西

卑湿、暑热，固然是广西的自然现象，但也是中原对岭南的普遍想象。既然是想象，就免不了虚实交杂，有时甚至流于怪诞，人们层垒地造出不全覆盖南方和不专属于南方的东西，再把它当成南方的标识符号。在南方为“蛮土”的观念统摄下，无论对它的想象多么荒谬，都有人愿意相信。这表明南方风土是具有多重样相的，它既是历史地理问题，也是文化问题。瘴气的分布范围，不只是一种空间形态，还是一种时间形态，它折射的是区域开发进程、中原经制力量的强弱进退和人们对此地的观感变化。

虽然东汉以前缺乏对瘴气的直接记载，但这只意味着由于各种原因没有形成记述而已，并不表示瘴气在岭南土地的缺席。现代我们知道狭义的“瘴气”是通过按蚊（又称疟蚊）传播的寄生虫所导致的疟疾。疟疾最先起源于热带非洲，在新石器时代向北传播到了埃及和地中海地区，向东传播到了美索不达米亚、印度和中国华南。我们无法确知到底是谁将它带入了岭南，但可以确定的是早在中原移民南迁之前，当地就已经存在。瘴气有其适地性，它不能像珍禽异兽一样被跨域运输，也不能像奇花异果一样因其特别的意义被移植，它必须依赖于特定的风土而生存，因此也只能是在外人到来并对它产生注意时，才能形诸记载。实际上，不只是瘴气这种无形无相的东西，就连更加具有表征性的植物和景观也是很晚才被记载的，如香蕉首见于东汉杨孚的《异物志》，榕树则到西晋时才被嵇含记录，左江花山岩画则直到宋代才有文字记载。

瘴气本属特定地域，但被放大为覆盖南方大部、包含多种疾病的事物，这跟马援南征时因为瘴气减员严重，令时人对瘴气印象深刻有关。这种印象使瘴气超越了个体经验与身体感觉，变成了具有普遍性的岭南意象。瘴气的内涵被放大，还跟古代五方各有其气，万物受气而生的观念有关。他们先认为南方的气应当如何，然后制造出来瘴气，对南方进行整齐划一的覆盖，于是南方的风土、动物、物产、民众被“异气”所囊括。这种关联性导致时人在说瘴气时，总免不了强调地理的“蛮烟”，强调虺虫蝮蛇等毒物，强调人的断发雕题。他们在认识南方时，所依据的不是实地调研的材料，而是从“蛮夷应当如何”的预设出发，进行单方面的评判。

瘴气已不只是客观的环境事物，它还具有浓重的人文属性。对南方很多地区来说，瘴气是被人为创造出来的：瘴气只有在中原人到来并记载时，它才是存在的，反之如果没有被记载，它就是不存在的。至于存在的“瘴气”究竟有着什么样的表现并不重要。这里的逻辑缺陷是：既然瘴气是“气”的表现，那么基于不同风土的“气”应当表现为不同的“瘴”，但在人们的叙述中，所有的“瘴”似乎都一样。这表明，瘴气显然不是理解南方各地特殊性的万能钥匙。人们在通过瘴气认识广西时，经历了一个附魔到祛魔的过程：当中原人群只是遥想或与岭南进行表层接触时，瘴气无处不在、无比严重；当民族融合达到一定的程度，岭南、中原文化势差不再悬殊的时候，瘴气与瘴病的概念渐趋消失。

当岭南多瘴的观念形成之后，瘴气被作为一种策略来使用。有人用瘴气为岭南官场的贪墨流行解释：“广州包山带海，珍异所出，一箧之宝，可资数世，然多瘴疫，人情惮焉。唯贫窭不能自立者，求补长史，故前后刺史皆多黩货。”瘴气还是人们判断区域开发进程的指标，《南齐书》称：“肥地则有雀鼠同穴，生黄紫花；瘦地辄有瘴气，使人断气，牛马得之，疲汗不能行。”在政治治理和边疆经略中，无形无相的瘴气还往往成为夸大危机、谎报军功、推诿责任的借口。

秦朝开拓岭南之后，五岭南北的人员交流、物资流通增多。北人南来，意味着原住地的经验与岭南风土发生碰撞，因而就生发了以“历史之我”“故土之我”“文化之我”为本位，来观察、体验、审视南方的问题。秦朝到晋朝时期人们对广西风土的认知，就是客观地理与主观意识掺杂的产物。人们用“南土、暑湿、毒螫、瘴气、蛮夷”，建成了评判广西的坐标系。在这个坐标系中，广西是作为奇观而存在的。只有当民族融合、文化交流到达一定程度时，人们对广西的蛮荒印象才慢慢消解。

主要参考资料

[1] 班固：《汉书》，中华书局，1962年。

[2] 范晔：《后汉书》，中华书局，1965年。

[3] 房玄龄等：《晋书》，中华书局，1974年。

[4] 陈寿：《三国志》，中华书局，1982年。

[5] 司马迁：《史记》，中华书局，2016年。

[6] 唐兆民编《灵渠文献粹编》，中华书局，1982年。

[7] 周振鹤：《西汉政区地理》，人民出版社，1987年。

[8] 金克木：《书读完了》，上海辞书出版社，2007年。

[9] 潘茨宣、梁宇广：《中华文明史上的广西人》，广西师范大学出版社，2008年。

[10] 中国人民政治协商会议广西壮族自治区委员会编《广西历史名人》，广西师范大学出版社，2012年。

[11] 马立博：《虎、米、丝、泥：帝制晚期华南的环境与经济》，王玉茹、关永强译，江苏人民出版社，2012年。

[12] 胡司德：《古代中国的动物与灵异》，蓝旭译，江苏人民出版社，2016年。

[13] 郭声波：《圈层结构视阈下的中国古代羁縻政区与部族》，中国社会科学出版社，2018年。

[14] 刘祥学：《广西简史》，漓江出版社，2018年。

［15］刘硕良、郑维宽：《广西读本》，漓江出版社，2018年。

［16］胡宝华、万辅彬、李桐编著《花山岩画》，广西科学技术出版社，2018年。

［17］周长山、施铁靖：《广西通史》第二卷《秦汉魏晋南北朝卷》，广西师范大学出版社，2019年。

［18］熊昭明、韦莉果：《广西古代海上丝绸之路》，广西科学技术出版社，2019年。

［19］麦英豪：《麦英豪文集》，文物出版社，2018年。

［20］伊懋可：《大象的退却：一部中国环境史》，梅雪芹、毛利霞、王玉山译，江苏人民出版社，2014年。

［21］赵汀阳：《历史、山水、渔樵》，生活·读书·新知三联书店，2019年。

［22］龚雅华：《汉唐时期岭南的铜鼓人群与文化》，魏美强译，南京大学出版社，2023年。

［23］吴鹏：《水运与国运》，浙江人民出版社，2022年。

［24］张光直主编《中国文化中的饮食》，王冲译，广西师范大学出版社，2023年。

［25］薛爱华：《朱雀：唐代的南方意象》，程章灿、叶蕾蕾译，生活·读书·新知三联书店，2024年。

［26］谭其骧主编《中国历史地图集》，中国地图出版社，1982年。

［27］广西壮族自治区通志馆编《二十四史广西资料辑录（一）》，广西人民出版社，1989年。

后记

在中华文明的历史长河中，广西是一个不可忽略的南方坐标。

一方面，广西先民依山逐水，以身躯为笔，以血汗为墨，绘制出壮美的历史丹青。在各民族交往交流交融中，八桂渐变为文明之域。在此进程中，广西的天地之境、人物之英、事功之变，自是多有令人兴思回味之处。

另一方面，历史并非完成时态，而是一个开放的问题田野，用时代视角来解读旧日天地，是一个“其命维新”式的永恒命题。在这个层面，广西文明的意义触角一如山之落脉、水之旁流，延展、分叉、变化，最终融汇为可资推阐的“无尽藏”。

为了呼应时代的需求，彰显广西的历史底蕴和文化特色，在广西壮族自治区党委宣传部的组织策划下，广西人民出版社以弘扬中华优秀传统文化、铸牢中华民族共同体意识为导向，以20世纪80年代出版的《二十四史广西资料辑录》为基础，出版《正史里的广西》（五卷本），讲述中华文明发展中的广西故事。

为讲好正史里的广西故事，广西人民出版社邀请中国史学会副会长、北京大学历史学系原主任张帆教授担任编委会主任，广西民族大学历史系四位学者组成撰写团队，广西民族大学民族学与社会学学院王柏中教授、郝国强教授担任顾问。《正史里的广西》共分“先秦秦汉魏晋南北朝”“隋唐”“宋元”“明代”“清代”五卷。各卷依据不同时代正史的材料，拟定了类型多样的专题，其中既有对单一人物、事件的浓描，也有对历史发展脉络的梳理；既有对历史名人的重点书写，也有对整体自然环境、物质文化、社会生活的统览。

《正史里的广西》五卷本的基本内容如下：

第一册“先秦秦汉魏晋南北朝卷”，由韩周敬撰写。以《史记》《汉书》《后汉书》《三国志》《晋书》等史书为主要史料来源，围绕先秦至南北朝时期与广西有关的重要人物、事件，梳理了陈钦、陈元、孟尝、士燮、牟子、陆绩、绿珠、葛洪、颜延之等人的行迹，叙述了灵渠的开凿、秦朝岭南三郡的建置、汉武帝平定南越、海上丝绸之路的开辟、吴国的交广分治等重要史事。此外，本卷还对骆越先民的生活图景、句町方国的历史、广西的天文分野、独特而多元的饮食、与人类共生的动物、岭北对广西的文化想象等专题进行了论述，生动揭示了先秦至南北朝时期广西历史的丰富面貌。

第二册“隋唐卷”，由滕兰花撰写。以《隋书》《旧唐书》《新唐书》等史书为主要史料来源，参照文集等文献，并对重要撰述对象进行田野调查。隋唐时期，广西本地英杰辈出，如赵观文、曹邺等，也有不少南来的名人，如裴矩、令狐熙、柳宗元、李商隐、鉴真等，本卷对他们与广西的关系做了较为细致的探究。此外，对南选制度、潭蓬运河、相思埭运河、风物土产和民间艺术等也进行了饶有兴味的论述。

第三册“宋元卷”，由龙小峰撰写。以《宋史》《元史》为主要史料来源，辅以地方志、文集和碑刻等相关材料。选取宋元时期较为典型的相关历史人物或事件，如周渭、曹克明、范成大、周去非、苏轼、萧注、李师中、苏缄、岳霖、马塈、史格、黄圣许等，以他们在广西的事迹为主线，侧重从政治、军事、经济、文化等方面，展现宋元时期中央王朝对广西乃至南疆的经略，以及广西在中央王朝经略背景下日益融入国家治理体系的过程。

第四册“明代卷”，由邓平撰写。以《明史》为主要史料来源，参照《明实录》《明会典》及地方志、文集等相关文献，选取明代与广西有关的典型历史人物，如朱守谦、岑瑛、孝穆纪太后、蒋冕、王阳明、瓦氏夫人、徐霞客等，以他们的生平事迹为论述核心，着力呈现明代国家治理下的广西社会情况。此外，本卷对布政使司、土司制度、卫所、人口迁徙与民族交往交流交融等主题也做了简要梳理。

第五册“清代卷”，由邓平撰写。以《清史稿》为主要史料来源，参照《清实录》《大清会典》及中国第一历史档案馆馆藏档案、地方志、文集、碑刻等相关文献资料，选取清代与广西有关的典型历史人物，如石涛、于成龙、汪森、甘汝来、金鉷、陈宏谋、苏元春、岑春煊、康有为等，讲述他们在政治、经济、文化等各领域的贡献，以及他们对广西乃至中国历史进程的重要影响。此外，本卷对金田起义、镇南关大捷、近代新思想传入广西等重要历史事件也进行了梳理。

在写作风格上，五卷本《正史里的广西》力求图文并茂，达到学术性与通俗性的统一。在篇目布局上，按照时代先后顺序排列。各卷所参考的主要文献、著作，已罗列于正文之后。另有数量众多的参考论文，限于体例，难以对其来源一一详举，还请读者见谅。

最后，感谢广西人民出版社的信任，感谢审稿专家提出的宝贵意见。对作者团队来说，每个人物故事都是在进行古今对话，每次史料钩沉都是在重塑认知版图，每幅历史图景都是在生发家国共情，但受限于学力才识，书中难免有疏漏与不足之处，恳请读者不吝赐教。